COLLECTION
FOLIO BILINGUE

Elsa Morante

Lo scialle andaluso
ed altre novelle

Le châle
andalou
et autres nouvelles

*Traduit de l'italien,
préfacé et annoté
par Mario Fusco*

Gallimard

Ces nouvelles sont extraites du recueil *Le châle andalou* (Folio n° 1579). Mario Fusco a revu sa traduction pour cette édition bilingue.

PRÉFACE

Le crépuscule des dieux

L'œuvre d'Elsa Morante est singulière, car elle s'est lentement élaborée, dans l'isolement et le silence, à l'écart des grands courants esthétiques qui ont marqué le monde littéraire italien de son temps. Née en 1912, elle a commencé très jeune à écrire et à publier, dans des magazines ou de petits journaux, quantité de récits et de nouvelles dont on ne sait finalement pas grand-chose car, à de rares exceptions près, ils n'ont jamais été réunis ni même identifiés avec précision. En 1941, au plus fort des années noires, Elsa Morante avait épousé Alberto Moravia, mais si celui-ci, bien au-delà de son travail d'écrivain — qui ne fut sans doute jamais aussi fécond et original que dans les années qui suivirent la fin de la guerre — était et demeura l'une des figures marquantes de la société romaine, Elsa pour sa part suivait dans son ombre sa propre voie.

C'est ainsi qu'en 1948, elle publia un gros roman que beaucoup de lecteurs considèrent comme son chef-

d'œuvre : il s'agit de Mensonge et sortilège, *admirable saga qui tentait de reconstituer la vie de trois générations d'une même famille, en Sicile, vue à travers le regard et les rêveries d'une narratrice hantée par le souvenir de personnages qui, bien qu'appartenant pour la plupart à de très modestes familles, et grâce à l'imagination foisonnante et au langage somptueux de l'auteur, finissent par prendre une dimension quasiment mythique. Le livre surprit — on était alors en plein dans ce que le romancier Gesualdo Bufalino a plus tard qualifié de « glaciation néo-réaliste » — même s'il attira, entre autres, l'attention d'Italo Calvino et de Natalia Ginzburg, puis, à l'étranger, celle de György Lukács qui y retrouva quelque chose du souffle des grands romanciers européens du XIXe siècle.*

Elsa Morante, toujours un peu à l'écart, mettra dix ans à écrire son deuxième roman, L'île d'Arturo, *paru en 1957, et qui, sous une forme plus ramassée, traite à nouveau d'un sujet dont, en définitive, elle ne s'écartera jamais vraiment : je veux dire la célébration des fastes et de la déchéance de l'image des parents. C'est ici le père du narrateur adolescent, que celui-ci imagine comme une figure héroïque d'aventurier, et qui se révélera un assez médiocre individu, englué dans de louches trafics avec un détenu du pénitencier de Procida, sombre et menaçante bâtisse auprès de laquelle se déroule toute la jeunesse du protagoniste. Mais peu importe l'anecdote, le prétexte : ce qui compte, en effet,* c'est l'extraordinaire sensibilité qu'apporte Elsa Morante à la reconstitution d'un univers d'enfance et surtout d'adolescence, monde merveilleux et fragile sur lequel veillent des figures tutélaires dont on croit pouvoir tout espérer, parce qu'elles semblent garantir un temps de bonheur indéfini. Les données objectives, qui recèlent à bien y regarder d'inquiétantes fissures, n'entament pas cette confiance heureuse où la rêverie des héros de Morante se développe et s'épanouit. Jusqu'au jour où, inévitablement, le voile se déchire, laissant voir dans une lumière crue le vrai visage des personnages vénérés, soudain démystifiés et déchus de leur aura et condamnés à rentrer misérablement dans le rang.

Sauf dans La Storia, où ce schéma se trouve profondément transformé au profit d'une vision qui veut englober la société dans son ensemble, fût-ce par le biais et par l'intermédiaire de quelques personnages privilégiés, étroitement apparentés à ceux des autres romans, et jusqu'au tragique Aracoeli, dernier roman que, déjà très malade, Elsa Morante réussit cependant à porter à son terme, c'est autour de ce thème central que se sont développées les histoires que cette conteuse d'exception tissait comme des étoffes changeantes et multicolores.

Le châle andalou, *publié en 1963, mais écrit quelques années auparavant, sans doute parallèlement à* L'île d'Arturo, *n'échappe pas à la règle. Ce petit livre réunit, en plus du roman bref qui lui a donné son*

*titre, diverses nouvelles vraisemblablement écrites avant
la guerre et dont certaines avaient fait l'objet d'une première publication, demeurée confidentielle, et intitulée*
Le jeu secret. *On trouvera dans le présent volume une
nouvelle qui porte ce même titre, et qui est un superbe
exemple de la façon dont Elsa Morante sait recréer
un univers situé entre enfance et adolescence. Le décor
qu'elle donne à cette histoire est celui d'un antique
palais aristocratique, immense, glacial et décrépi qui,
à lui seul, contribue à laisser le lecteur incertain de
l'époque à laquelle se situent les faits qu'elle rapporte.
Ici, les parents ne sont pas transfigurés par le souvenir
ou l'imagination des enfants, car leur médiocrité, leur
pingrerie conformiste et étriquée évoquent plutôt l'effrayante hypocrisie qui pesa sur l'enfance du grand
poète Leopardi, vers la fin du XVIIIᵉ siècle, dans un
cadre qui n'était pas sans analogies avec celui-ci. Mais
c'est peut-être pour cette raison que le jeu secret, auquel
se livrent les trois jeunes héros de cette histoire, prend
une telle ampleur et une si grande force. Dès qu'ils le
peuvent, les deux frères et leur sœur se réfugient dans
un autre monde qu'ils créent au fur et à mesure,
en s'inspirant des romans qu'ils ont lus et auxquels
ils empruntent des personnages, des situations, des
répliques, inventant ainsi sans même le savoir un
théâtre dont ils sont à la fois les acteurs et les specta-
teurs, mais qui sera bientôt impitoyablement réduit en
poussière par leurs absurdes géniteurs. Mais leur liberté*

*d'invention, leur fantaisie débridée et pleine de passion
sont celles-là même d'Elsa Morante.*

«Donna Amalia», *qui figure également dans ce
volume, est une fantaisie sur un merveilleux personnage de femme-enfant, léger et irisé comme une bulle de
savon, totalement filtré par le jeu de l'imagination et
de la poésie, qui représente l'un des pôles de l'écriture de
Morante, mais sans toutefois posséder la charge affec-
tive qui magnifie ses plus grandes créatures.*

En revanche «Le châle andalou», *qui est en effet
beaucoup plus qu'une nouvelle, est comme un condensé
de son art de narratrice, à mi-chemin entre la fable, la
chronique et la poésie. C'est, encore une fois, d'un adolescent, Andrea, qu'il s'agit ici. Mais le garçon adore sa
mère, Giuditta, tout autant qu'il abhorre avec la même
passion le métier de celle-ci, danseuse dans le corps de
ballet de l'Opéra, à Rome. En fait, c'est moins le théâtre
qui est en cause que la frustration insurmontable qu'il
ressent chaque fois que sa mère le quitte pour aller danser, car il ne doute pas qu'elle soit, comme elle le croit
elle-même, une grande artiste admirée de tous. Aussi,
pour échapper à cette tension intenable, Andrea décide-
t-il de s'enfermer dans un séminaire et de se préparer à
la prêtrise, tandis que s'espacent peu à peu les visites
de sa mère. Mais un jour, au cours d'une promenade,
il aperçoit sur les murs de la ville où il est en pension
une affiche annonçant un spectacle de variétés, et y
reconnaît la photographie de sa mère. Surmontant*

toutes ses réticences passées, il s'échappe du pensionnat et se rend, le cœur battant, au théâtre où, caché au milieu du public, il assiste, horrifié, aux grossières et bruyantes manifestations de mépris qui accompagnent le « numéro » pitoyable exécuté par Giuditta, désormais fanée et à l'évidence dépourvue de talent. Mais, quand, à sa grande surprise, celle-ci retrouve son fils dans sa loge, c'est une explosion de joie passionnelle, que vient sceller leur décision de recommencer à vivre ensemble, cependant que Giuditta renonce définitive-ment au théâtre. Pourtant Andrea comprend vite que ce n'est pas pour lui que sa mère a pris cette décision, mais bien, au contraire, parce qu'elle n'est plus capable de tenir sa place sur une scène : le personnage fabuleux, féerique qu'il admirait autant qu'il s'en détournait n'est plus qu'une femme vieillissante, irrémédiablement banale, étouffante d'affection incontrôlée. Il ne par-viendra à lui échapper qu'en s'enfonçant peu à peu dans un désespoir muet et agressif.

C'est que l'amour éperdu des adolescents de Morante, qui transforme en inaccessibles objets de culte des pères ou des mères incapables d'assumer cette vénération qu'ils refusent obscurément, ne peut logiquement abou-tir qu'à l'échec. Il ne reste dès lors qu'une seule issue, celle de trouver comme Elisa, la narratrice de Men-songe et sortilège, *et comme Elsa Morante dont celle-ci est un transparent avatar, le moyen d'abri-ter dans le monde enchanté des mots, c'est-à-dire de la *poésie, la pauvre réalité d'un quotidien dépourvu de toute séduction, à l'image de ce geste de Giuditta qui, un soir, a, pour le cacher, enveloppé son fils dans un immense et multicolore accessoire de scène : un châle andalou.*

MARIO FUSCO

a Lucia

à Lucia

Tu sei l'uccella di mare, che ha fabbricato il suo nido
sulla scogliera torva, fra le sabbie nere.
Né fili d'erba su quei tumuli atroci
né voci d'altre famiglie. Solo echi di strage
rompono lí, dal largo, su trombe e campane d'acqua.

Ma lei, piena di grazia,
sotto l'ala gelosa
che veglia i cari ovetti
il nudo tremito ascolta d'altre alucce sue figlie
e i quieti affetti suoi nient'altro sanno.

Di lí
domani
grande, bianca e spiegata
guiderà una puerile corte alata
verso terrestri elisi.

Tu es l'oiselle de mer, qui a bâti son nid
sur les rochers sombres, parmi les sables noirs.
Nul brin d'herbe sur ces buttes atroces,
nulle voix d'autres familles. Seuls, des échos de massacres
éclatent ici, venus du large, par-dessus les trombes et les tour-
  billons de l'eau.

Mais elle, pleine de grâce,
sous son aile jalouse
qui veille ses petits œufs chéris,
elle écoute le frisson nu d'autres petites ailes, ses filles
et ses affections tranquilles ne connaissent rien d'autre.

De là,
demain,
grande et blanche, éployée,
elle guidera une cour puérile, ailée,
vers de terrestres paradis.

Il gioco segreto
Le jeu secret

Il gioco segreto

Sulla piazza era sempre ferma una buffa e antiquata carrozza da nolo che nessuno mai noleggiava. Il cocchiere assopito si scuoteva ogni tanto al rintoccare delle ore dal campanile e poi riabbassava il mento sul petto. Nell'angolo, presso il palazzo giallo sbiadito del Municipio, c'era una fontana nella quale un filo d'acqua colava da una strana faccia di marmo. Capelli grossi e cilindrici si torcevano come serpi intorno a questa faccia e gli occhi sporgenti e senza pupille avevano uno sguardo morto.

Da quasi tre secoli un palazzo sorgeva sulla parte opposta, di fronte al Municipio. Era una casa patrizia in rovina, una volta pomposa, ora disfatta e squallida. La facciata carica di ornamenti, resa grigia dal tempo, mostrava i segni dello sfacelo.

Le jeu secret

Sur la place, il y avait toujours une voiture de louage, bizarre et démodée, et que personne ne louait jamais. Le cocher somnolent se secouait de temps en temps lorsque sonnaient les heures au clocher, puis, de nouveau, il baissait le menton sur sa poitrine. Dans le coin, auprès de l'édifice jaune pâle de la mairie, il y avait une fontaine, dans laquelle un filet d'eau coulait d'une étrange figure de marbre. De gros cheveux cylindriques se tordaient comme des serpents autour de ce visage, et ses yeux saillants et sans pupilles avaient un regard mort.

Depuis presque trois siècles, un palais se dressait sur le côté opposé, en face de la mairie. C'était une demeure noble en ruine, jadis pompeuse, mais désormais dégradée et lugubre. Sa façade chargée d'ornements, que le temps avait rendue grise, laissait voir les marques de sa décrépitude.

I putti librati a guardia della soglia erano corrosi e sudici, i festoni di marmo perdevano i fiori e le foglie e il portale chiuso mostrava macchie di muffa. Pure, la casa era abitata; ma i proprietari, eredi di un nome illustre e decaduto, si mostravano di rado. Solo qualche volta ricevevano in visita il prete o il medico, e, ad intervalli di anni, parenti piovuti da lontane città, che ripartivano presto.

Nell'interno del palazzo si seguivano grandi sale vuote in cui, nei ventosi giorni di tempesta, entravano dai vetri rotti mulinando la polvere e la pioggia. Dalle pareti pendevano lembi strappati di tappezzerie, avanzi di arazzi logori, e nei soffitti, fra nuvole gonfie e smaglianti, navigavano cigni e angioli nudi, e donne splendide si affacciavano entro ghirlande di fiori e di frutti. Alcune sale erano affrescate di avventure e di storie, e vi abitavano popoli regali, che montavano cammelli o giocavano in folti giardini, fra scimmie e falchi.

La casa guardava su due lati in vie spopolate ed anguste e sul terzo in un giardino chiuso, una specie di prigione dall'alta muraglia in cui intristivano poche piante di lauro e di arancio. Per l'assenza del giardiniere, ortiche selvagge avevano invaso quel breve spazio, e sui muri nascevano erbe dai fiori azzurrastri e patiti.

Les amours dansants qui gardaient le seuil étaient rongés et sales, les festons de marbre perdaient leurs fleurs et leurs feuilles, et le portail fermé montrait des taches de moisissure. Pourtant, la maison était habitée ; mais ses propriétaires, héritiers d'un nom illustre et déchu, se montraient rarement. Ils recevaient seulement, de temps à autre, la visite du prêtre ou du médecin, et, à des années d'intervalle, des parents débarqués de cités lointaines, qui repartaient bientôt.

À l'intérieur du palais se suivaient de grandes salles vides où, les jours de vent et de tempête, la poussière et la pluie entraient en tourbillonnant par les vitres brisées. Aux murs pendaient des lambeaux déchirés de papier peint, des restes de tapisseries usées ; sur les plafonds, naviguaient des cygnes et des anges nus, et des femmes splendides se penchaient entre des guirlandes de fleurs et de fruits. Certaines salles étaient décorées de fresques, scènes d'histoire ou d'aventures, et elles étaient habitées par des peuples royaux, qui montaient des chameaux, ou jouaient dans des jardins touffus au milieu de singes et de faucons.

La maison donnait, de deux côtés, sur des rues étroites et désertes, et, sur le troisième, dans un jardin fermé, une sorte de prison avec une haute muraille, où dépérissaient quelques lauriers et des orangers. Faute d'un jardinier, des orties sauvages avaient envahi ce bref espace et, sur les murs, il poussait des herbes aux fleurs bleuâtres et souffreteuses.

La famiglia dei Marchesi, proprietaria del palazzo, lasciava disabitate quasi tutte le stanze, e si era ridotta in un piccolo appartamento al secondo piano, fornito di mobili vetusti, da cui si udiva, nel silenzio della notte, il lamento fievole dei tarli. La marchesa e il marchese, di aspetto insignificante e meschino, avevano nei tratti quella triste somiglianza che sopravviene talvolta per mimetismo dopo una convivenza di anni. Magri ed appassiti, con le labbra pallide e le guance spioventi, si muovevano con gesti simili a quelli delle marionette. Forse fluiva nelle loro vene, al posto del sangue, una sostanza pigra e gialliccia, e un'unica forza reggeva i loro fili, l'autorità per l'una, e la paura per l'altro. Infatti il marchese era stato un tempo un nobile di provincia spensierato e gioviale, preoccupato soltanto di dar fondo in qualche modo agli ultimi resti del patrimonio. Ma la marchesa lo aveva educato. L'umanità ideale, nel concetto di lei, doveva guardarsi dal ridere e dal parlare a voce alta, e sopratutto doveva scrupolosamente nascondere agli altri le proprie debolezze segrete. Secondo i suoi dettami, era delitto torcer le labbra, agitarsi, soffiarsi il naso con energia; e il marchese, timoroso di deviare nei gesti e rumori illeciti, evitava da tempo qualsiasi gesto e rumore, riducendosi a una specie di mummia dagli occhi mansueti e dalla testa china. Tuttavia non evitava le strapazzate e i rimbrotti.

La famille du marquis qui était propriétaire du palais laissait inhabitées presque toutes les pièces, et elle s'était retirée dans un petit appartement au second étage, rempli de meubles vétustes, où l'on entendait, dans le silence de la nuit, la faible plainte des vrillettes. La marquise et le marquis, d'un aspect insignifiant et mesquin, avaient dans leurs traits cette triste ressemblance qui survient parfois, par mimétisme, après des années de vie commune. Maigres et fanés, les lèvres pâles et les joues tombantes, ils se déplaçaient avec des gestes semblables à ceux des marionnettes. Peut-être que, dans leurs veines, au lieu de sang, il coulait une substance lente et jaunâtre, et qu'une unique force tirait leurs fils, l'autorité pour l'une, et la peur pour l'autre. En fait, le marquis avait été jadis un noble de province, insouciant et jovial, uniquement préoccupé d'épuiser d'une façon ou d'une autre les derniers restes de son patrimoine. Mais la marquise l'avait éduqué. L'humanité idéale, dans son opinion, devait se garder de rire et de parler à haute voix et, surtout, elle devait scrupuleusement dissimuler aux autres ses propres faiblesses secrètes. Selon ses préceptes, c'était un crime de retrousser les lèvres, de s'agiter, de se moucher avec énergie ; et le marquis, craignant de se laisser emporter à des gestes ou des bruits illicites, évitait depuis longtemps tout geste, tout bruit, se réduisant à n'être qu'une sorte de momie aux yeux doux et à la tête basse. Toutefois il n'évitait pas les semonces et les reproches.

Educatissima e pungente, ella lo colpiva spesso con rimproveri diretti, o con allusioni a certi personaggi innominati, degni solo d'infamia. Costoro, diceva, ignari della loro stessa volontà, ed incapaci di educare i propri figli, trascinerebbero la casa alla rovina, se la Grazia non li avesse forniti di una Moglie. E l'uomo sopportava senza batter palpebra tali torture, fino all'ora in cui, con in tasca i pochi spiccioli concessi dall'Amministratrice severa, usciva per il passeggio. Forse nella solitudine delle straducole campestri, si abbandonava a gesti eccessivi, a cavatine, e a tuonanti soffiate di naso; certo, quando tornava, aveva una strana luce negli occhi e questa rivelazione involontaria di un suo divertente e maleducato mondo interiore destava sospetti nella marchesa. Per tutta la sera ella lo incalzava con domande sempre piú avvilenti e raffinate allo scopo di strappargli rivelazioni compromettenti. E il poveretto col tossicchiare, il balbettare e l'arrossire si comprometteva sempre piú, cosí che la marchesa iniziò uno scrupoloso e rigido controllo sul marito, e decise spesso di accompagnarlo al passeggio. Egli, rassegnato, si sottomise; ma la fiamma nei suoi occhietti divenne ossessionante e fissa, e non piú di allegria.

Da tali genitori erano nati i tre fanciulli;

Fort bien élevée et mordante, elle le touchait souvent par des reproches directs, ou par des allusions à certains personnages anonymes, tout juste dignes d'infamie. Ceux-ci, disait-elle, ignorant leur propre volonté, et incapables d'élever leurs enfants, entraîneraient leur famille à la ruine, si la Grâce ne les avait munis d'une Épouse. Et l'homme supportait ces tortures sans un battement de paupières, jusqu'à l'heure où, ayant en poche les quelques sous accordés par la sévère Administratrice, il sortait pour sa promenade. Peut-être que, dans la solitude des petits chemins de campagne, il se laissait aller à des gestes excessifs, à des pas de danse, et qu'il se mouchait avec un bruit de tonnerre ; certes, quand il revenait, il avait une étrange lueur dans les yeux, et cette révélation involontaire d'un monde intérieur divertissant et trivial éveillait des soupçons chez la marquise. Pendant toute la soirée elle le pressait de questions toujours plus avilissantes et plus raffinées, afin de lui arracher des révélations compromettantes. Et le pauvre, à force de toussoter, de balbutier et de rougir, se compromettait toujours davantage, tant et si bien que la marquise se mit à exercer un scrupuleux et rigide contrôle sur son mari, et décida fréquemment de l'accompagner dans ses promenades. Résigné, il se soumit ; mais la flamme dans ses petits yeux devint obsédante et fixe, et ce n'était plus une flamme de joie.

C'est de ces parents qu'étaient nés les trois enfants ;

e per loro, nei primi anni, il mondo era fatto a immagine e somiglianza di essi. Gli altri personaggi del paese non erano che parvenze vaghe, mocciosi antipatici e maligni, donne dalle pesanti calze nere e dai capelli lunghi e oleosi, vecchi religiosi e tristi. Tutte queste parvenze malvestite erravano sui brevi ponti, nelle viuzze e nella piazza. I tre fanciulli odiavano il paese; quando uscivano in fila, con l'unico servo, passando di striscio lungo i muri, avevano sguardi biechi e sprezzanti. I ragazzi del luogo se ne vendicavano beffandoli e destando in loro un cupo terrore.

Il servo era un uomo alto e volgare, con polsi pelosi, narici larghe e rossastre e piccoli occhi mutevoli. Egli si ripagava della soggezione in cui era tenuto dalla marchesa trattando i fanciulli come un padrone; quando li accompagnava, dondolando leggermente le anche e guardandoli dall'alto, o li richiamava con voci secche, essi tremavano per l'odio. Ma anche nella strada li seguivano le brevi ammonizioni materne; avanzavano ordinati, silenziosi ed austeri.

Quasi sempre, la passeggiata si arrestava alla chiesa, in cui si entrava fra due colonne sorrette da una coppia di leoni massicci e d'espressione tranquilla. In alto, un ampio rosone lasciava entrare nella nave una luce illividita, fresca, in cui le fiamme delle candele si agitavano vagamente.

et, pour eux, dans leurs premières années, le monde était fait à leur image et à leur ressemblance. Les autres personnages de la bourgade n'étaient que de vagues apparences, des gamins antipathiques et malicieux, des femmes aux épais bas noirs et aux longs cheveux gras, des vieillards tristes et pieux. Toutes ces apparences mal vêtues erraient sur les petits ponts, dans les ruelles et sur la place. Les trois enfants haïssaient cette bourgade ; quand ils sortaient en file, avec leur unique domestique, en rasant les murs, ils avaient des regards obliques et méprisants. Les gamins de l'endroit se vengeaient en se moquant d'eux, et en faisant naître en eux une sombre terreur.

Le domestique était un homme grand et vulgaire, avec des poignets velus, de grandes narines rougeâtres et de petits yeux fuyants. Il se dédommageait de la sujétion où le tenait la marquise en traitant les enfants à la manière d'un maître. Quand il les accompagnait, en ondulant légèrement des hanches, et qu'il les regardait de haut, ou les appelait d'une voix sèche, ils tremblaient de haine. Mais jusque dans la rue, ils étaient poursuivis par les brèves recommandations de leur mère ; ils avançaient en ordre, silencieux et austères.

Presque toujours, la promenade s'arrêtait à l'église, où l'on entrait entre deux colonnes soutenues par une paire de lions massifs à l'expression tranquille. En haut, une large rosace laissait entrer une lumière livide et fraîche, où les flammes des cierges s'agitaient vaguement.

Nell'abside si vedeva un grande corpo di Cristo, dalle piaghe grondanti un sangue viola, e intorno figure che gesticolavano e si abbattevano con movimenti pesanti.

I tre fanciulli compunti si ponevano in ginocchio e giungevano le mani.

Antonietta, la maggiore, quantunque avesse già compiuto i diciassette anni, aveva il corpo e l'abito di una bambina. Era magra e sgraziata, e i suoi capelli lisci, non essendo il lavarli frequente abitudine del palazzo, emanavano sempre un lieve odore di topo. Erano divisi da una scriminatura nel mezzo, e questa scriminatura, sulla nuca, si scorgeva netta, fra i capelli piú corti e piú fini, e ispirava la protezione e la pena. Il naso di questa ragazza era lungo, curvo e sensibile, e le sue labbra sottili palpitavano nel parlare. Nel viso pallido e scarno gli occhi si muovevano con nervosa passione, salvo in presenza della marchesa, ché allora si mantenevano opachi e bassi.

Ella portava le trecce sulle spalle e un grembiule nero cosí corto che, se si piegava troppo vivacemente, si scorgevano le sue mutande di tela, strette e lunghe fin quasi al ginocchio, adorne di una fettuccia rossa; il grembiule si apriva di dietro, sulla sottoveste col merletto. Le calze nere erano fermate da un semplice elastico, attorcigliato e logoro.

Pietro, il secondo, sui sedici anni, era un mansueto.

Dans l'abside, on voyait un grand corps de Christ, dont les plaies ruisselaient d'un sang violet, et autour duquel des personnages gesticulaient et s'abattaient avec des mouvements pesants.

Les trois enfants s'agenouillaient avec componction et joignaient les mains.

Antonietta, l'aînée, bien qu'elle eût déjà passé dix-sept ans, avait le corps et les vêtements d'une enfant. Elle était maigre et sans grâce, et ses cheveux lisses — on n'avait pas, dans le palais, l'habitude de les laver fréquemment — répandaient toujours une légère odeur de souris. Ils étaient séparés par une raie au milieu, et cette raie, très visible sur la nuque, parmi les cheveux plus courts et plus fins, inspirait un sentiment de protection et de peine. Le nez de cette jeune fille était long, busqué et sensible, et ses lèvres minces palpitaient lorsqu'elle parlait. Dans son visage pâle et décharné, ses yeux remuaient avec une passion nerveuse, sauf en la présence de la marquise, car ils restaient alors baissés et ternes.

Elle portait ses tresses sur les épaules, et un tablier noir si court que, si elle se baissait trop vivement, l'on voyait ses pantalons de toile, étroits et descendant presque jusqu'à ses genoux, ornés d'une faveur rose ; le tablier s'ouvrait par-derrière, sur sa chemise ornée de dentelles. Ses bas noirs étaient tenus par un simple élastique, tortillé et usé.

Pietro, le second, avait environ seize ans, c'était un calme.

Muoveva con lentezza il corpo piccolo e tozzo e gli occhi dalle luci discrete sotto le sopracciglia spesse. Aveva un sorriso buono e domestico e la sua dipendenza dagli altri due appariva al primo sguardo.

Giovanni, il minore, era il piú brutto della famiglia. Il suo corpo misero, come nato vecchio, pareva già troppo avvizzito per crescere; ma i suoi occhi lucenti e mobili rassomigliavano a quelli della sorella. Dopo brevi periodi di vivacità nervosa cadeva in subite prostrazioni, a cui sopravveniva la febbre. Di lui il medico diceva: Non credo che passi il tempo dello sviluppo.

Quando la sua febbre lo coglieva, inspiegabile e bizzarra, lo percorrevano brividi simili a scosse elettriche. Sapeva che questo era il segno e aspettava, con le labbra stirate e gli occhi dilatati, l'avanzarsi del male. Per lunghi giorni gli incubi erravano intorno al suo letto in un continuo ronzio, e una noia informe gli pesava addosso, dentro un'atmosfera fumosa. Poi veniva la convalescenza ed egli, troppo debole per muoversi, si rannicchiava in una poltrona e batteva con le dita, in cadenza, i braccioli. Allora pensava. Oppure leggeva.

La marchesa, occupata nelle sue funzioni di economa, non sorvegliava troppo l'educazione e l'istruzione dei fanciulli. Le bastava che tacessero e non si muovessero.

Il bougeait avec lenteur son corps court et trapu, et ses yeux à l'éclat discret sous d'épais sourcils. Il avait un bon sourire domestique et sa soumission aux deux autres apparaissait au premier coup d'œil.

Giovanni, le plus jeune, était le plus laid de la famille. Son corps misérable, comme s'il était né vieux, paraissait déjà trop fané pour pouvoir grandir; mais ses yeux brillants et mobiles ressemblaient à ceux de sa sœur. Après de brèves périodes d'agitation nerveuse, il tombait dans de subites prostrations, suivies d'accès de fièvre. Le médecin disait de lui : « Je ne crois pas qu'il dépassera l'âge de la formation. »

Quand il était saisi par sa fièvre, inexplicable et irrégulière, il était secoué de frissons semblables à des décharges électriques. Il savait que c'était le signe, et les lèvres tirées et les yeux dilatés, il attendait les progrès du mal. Pendant de longues journées, des cauchemars erraient autour de son lit dans un murmure continuel et un ennui informe pesait sur lui, dans une atmosphère fumeuse. Puis venait la convalescence; trop affaibli pour bouger, il se blottissait dans un fauteuil dont il martelait les bras en cadence. Et alors, il pensait. Ou bien il lisait.

La marquise, absorbée dans ses fonctions d'économe, ne surveillait guère l'éducation et l'instruction des enfants. Il lui suffisait qu'ils restassent en silence et sans bouger.

Giovanni ebbe cosí modo di leggere strani libri scovati qua e là, in cui si agitavano personaggi in abiti non mai visti : ampio cappello, giustacuore di velluto, spade e parrucche, e per le dame, vesti fantastiche, adorne di gemme, e reti intessute d'oro.

Tali esseri parlavano un linguaggio alato, che sapeva toccare altezze e precipizi, dolce nell' amore, feroce nell'ira e vivevano avventure e sogni su cui il fanciullo fantasticava lungamente. Egli partecipò ai fratelli la sua scoperta e, tutti e tre, credettero di identificare le persone dei libri con le figure che popolavano i muri e i soffitti del palazzo e che, vive da tempo in loro, ma nascoste nei sotterranei della loro infanzia, ora tornavano alla luce. Presto vi fu tra i fratelli un'intesa nascosta. Quando nessuno poteva udirli, essi parlavano delle loro creature, le smontavano e le ricostruivano, ne discutevano fino a farle vivere e respirare in loro. Odii e amori profondi li legarono a questa e a quella, e spesso avveniva che la notte i tre rimanessero desti per dialogare fra loro con *quelle* parole. Antonietta dormiva da sola in uno stanzino comunicante con la camera dei fratelli ; la camera dei genitori era separata dalla loro da una vasta sala, parlatorio o tinello.

Ce fut ainsi que Giovanni eut l'occasion de lire d'étranges livres dénichés çà et là, où s'agitaient des personnages vêtus de costumes jamais vus : vastes chapeaux, justaucorps de velours, épées et perruques, et, pour les dames, des robes fantastiques, ornées de pierreries, et des résilles tissées d'or.

Ces êtres parlaient un langage ailé, qui savait atteindre les sommets et les gouffres, tendre dans l'amour, féroce dans la colère, et ils vivaient des aventures et des songes sur lesquels l'enfant rêvait longuement. Il communiqua sa découverte à ses frère et sœur et, tous trois, ils crurent pouvoir identifier les personnages des livres avec les figures qui peuplaient les murs et les plafonds du palais, et qui, depuis longtemps vivantes en eux, mais cachées dans les souterrains de leur enfance, revenaient maintenant à la lumière. Il y eut bientôt entre les enfants un accord caché. Lorsque personne ne pouvait les entendre, ils parlaient de leurs créatures, les démontaient et les reconstruisaient, en discutaient jusqu'à les faire vivre et respirer en eux. Des haines et de profondes amours les lièrent à l'une ou l'autre, et souvent, il arrivait que les trois restassent éveillés pour dialoguer entre eux dans *ce* langage. Antonietta dormait seule dans une petite pièce qui communiquait avec la chambre de ses frères ; la chambre des parents était séparée de la leur par une vaste salle, parloir ou salle à manger.

Nessuno dunque li udiva se, ciascuno dal suo letto, dialogavano, impersonando le figure amate.

Erano discorsi deliziosi e nuovi.

— Leblanc, cavaliere Leblanc, — bisbigliava dal letto di destra la voce un po' rauca di Giovanni, — avete affilato le lucenti spade per il duello? L'alba sanguinosa sorgerà ben presto, e voi sapete, cavaliere, che il fiero Lord Arturo non conosce umana pietà né trema dinanzi alla morte.

— Ahimè, fratel mio, — gemeva la voce lamentevole d'Antonietta, — già già sono apprestate le candide bende e i profumati unguenti. Voglia il Cielo che essi servano ad ungere il cadavere del vostro nemico.

— L'alba sanguigna, l'alba sanguigna, — borbottava Pietro, meno ricco di fantasia e sempre un po' sonnolento. Ma Giovanni lo interrompeva subito, suggerendogli le parole:

— Tu, — diceva, — devi rispondere che impavido affronterai il pericolo e che non sarà un conte Arturo colui che potrà farti arretrare né peraltro un tal uomo è ancor nato.

Fu cosí che i tre fanciulli scoprirono il teatro.

I loro personaggi uscirono del tutto dalla nebbia dell'invenzione, con suono d'armi e fruscio di vesti.

Personne donc ne les entendait si, chacun depuis son lit, ils dialoguaient en incarnant les personnages qu'ils aimaient.

C'étaient des discours délicieux et nouveaux.

« Leblanc, Chevalier Leblanc, chuchotait depuis le lit de droite la voix un peu rauque de Giovanni, avez-vous affilé les épées luisantes pour le duel ? L'aube sanglante se lèvera bien vite, et vous savez, Chevalier, que le fier Lord Arthur ne connaît point la pitié humaine, et qu'il ne tremble pas devant la mort.

— Hélas, mon frère, gémissait la voix plaintive d'Antonietta, déjà, déjà sont prêtes les bandes immaculées et les onguents parfumés. Veuille le Ciel qu'ils servent à oindre le cadavre de votre ennemi.

— L'aube ensanglantée, l'aube ensanglantée... » marmonnait Pietro, moins doué d'imagination et toujours un peu somnolent. Mais Giovanni l'interrompait aussitôt, en lui soufflant les mots :

« Toi, disait-il, tu dois répondre que tu affronteras le péril d'un cœur impavide, que ce ne sera pas un comte Arthur qui pourrait te faire reculer, et que l'homme capable de le faire n'est pas encore né. »

Ce fut ainsi que les trois enfants découvrirent le théâtre.

Leurs personnages sortirent entièrement de la brume de l'invention, dans un tintement d'armes et un bruissement de robes.

Acquistarono un corpo di carne ed una voce, e per i fanciulli cominciò una doppia vita. Appena la marchesa si ritirava nella sua camera, il servo in cucina, e il marchese usciva per la sua passeggiata, ciascuno dei tre si trasformava nella propria parte. Col cuore balzante, Antonietta chiudeva i due battenti dell'uscio, e diventava la Principessa Isabella; Roberto, innamorato di Isabella, era impersonato da Giovanni. Soltanto Pietro non aveva una parte determinata, figurando ora il rivale, ora il servo, ora il capitano di un bastimento. Cosí viva era la forza della finzione, che ciascuno dimenticava la propria persona reale; spesso, nelle lunghe sedute di noia sorvegliate dalla marchesa, quel meraviglioso segreto troppo compresso sprizzava da loro in occhiate furtive e brillanti : «Piú tardi, — significavano, — faremo *il gioco*». La sera, al buio, le creature del gioco popolavano la loro solitudine, sotto le lenzuola, e gli avvenimenti che si sarebbero svolti domani prendevano forma; essi ne sorridevano fra sé, oppure, se la scena era violenta o tragica, stringevano il pugno.

In primavera, anche il giardino-carcere acquistava una vita fittizia. Nell'angolo assolato il gatto striato di rosso fremeva lungamente chiudendo gli occhi verdastri. Strani odori subitanei e viventi parevano scoppiare qua e là, da un cespuglio o da un cumulo di terra. Fiori ammalati d'ombra si aprivano e cadevano in silenzio, e i petali macerati si accumulavano fra i sassi;

Ils acquirent un corps de chair et une voix, et, pour les enfants, une nouvelle vie commença. Dès que la marquise se retirait dans sa chambre, le domestique dans sa cuisine, et que le marquis sortait pour sa promenade, chacun des trois reprenait son rôle. Le cœur battant, Antonietta fermait les deux vantaux de la porte, et devenait la Princesse Isabella ; Roberto, amoureux d'Isabella, était joué par Giovanni. Seul Pietro n'avait pas de rôle déterminé et figurait tantôt le rival, tantôt le serviteur, tantôt le capitaine d'un navire. Si grande était la force de la fiction que chacun oubliait sa propre personne réelle ; souvent, au cours des longues séances d'ennui surveillées par la marquise, ce merveilleux secret trop réprimé jaillissait d'eux en coups d'œils furtifs et brillants : « Plus tard, signifiaient-ils, nous jouerons *au jeu*. » Le soir, dans l'obscurité, les créatures du jeu peuplaient leur solitude, sous les draps, et les événements qui allaient se dérouler le lendemain prenaient forme ; ils en souriaient entre eux, ou bien, si la scène était violente ou tragique, ils serraient les poings.

Au printemps, même le jardin-prison gagnait une vie fictive. Dans le coin ensoleillé, le chat aux rayures rousses frémissait longuement en fermant ses yeux verdâtres. D'étranges odeurs spontanées et vivantes semblaient éclater çà et là d'un buisson ou d'une motte de terre. Des fleurs malades d'ombre s'ouvraient et tombaient en silence, et les pétales meurtris s'accumulaient entre les pierres ;

gli odori attiravano farfalle pigre, che lasciavano cadere il polline.

A sera, scendevano spesso piogge tiepide e sorde, e inumidivano appena la terra. Succedeva a queste un vento basso, grave anch'esso di odori che vagavano attraverso la notte. Il marchese e la marchesa, dopo colazione, si addormentavano sulla sedia; i dialoghi dei paesani, al tramonto, parevano complotti.

Il gioco segreto era diventato una specie di congiura, che si svolgeva in un pianeta favoloso e lontano, noto soltanto ai tre fratelli. Presi dall' incantamento, essi non dormivano la notte per ripensarlo. Una notte la veglia fu piú lunga; Isabella e Roberto, gli amanti contrastati, dovevano accordarsi per una fuga, e i fanciulli smaniavano nei loro letti per riflettere e risolversi in tali circostanze gravi. Finalmente i due maschi si assopirono, e i volti dei personaggi inventati vaneggiarono un poco sotto le loro palpebre, fra accensioni e oscurità, finché si spensero.

Ma Antonietta non riuscí a dormire. A volte le pareva di udire un lagno rauco e lungo nella notte, e tendeva l'orecchio, all'erta. A volte rumori strani nelle soffitte rompevano con un sussulto la commedia che ella continuava a vivere nell' inventarla, col capo sotto il lenzuolo. Infine scese dal letto;

les odeurs attiraient des papillons indolents, qui laissaient tomber le pollen.

Le soir, il tombait souvent des pluies tièdes et sourdes, qui humidifiaient à peine la terre. Elles étaient suivies par un vent faible, chargé lui aussi d'odeurs qui erraient à travers la nuit. Le marquis et la marquise, après déjeuner, s'endormaient sur leur chaise ; les dialogues des paysans, au coucher du soleil, paraissaient des complots.

Le jeu secret était devenu une espèce de conjuration, qui se déroulait dans une planète fabuleuse et lointaine, connue seulement des trois enfants. Pris par l'enchantement, ils ne dormaient plus la nuit pour y penser encore. Une nuit, la veille fut plus longue ; Isabella et Roberto, les amants contrariés, devaient se mettre d'accord pour une fugue, et les enfants s'agitaient dans leur lit pour réfléchir et prendre une décision en cette grave circonstance. Finalement, les deux garçons s'assoupirent, et les visages des personnages qu'ils avaient inventés flottèrent quelques instants sous leurs paupières, entre des moments d'obscurité et de lumière, puis ils s'éteignirent.

Mais Antonietta ne réussissait pas à dormir. Parfois, il lui semblait entendre une lamentation longue et rauque dans la nuit, et elle tendait l'oreille, aux aguets. Parfois, des bruits étranges dans les greniers interrompaient d'un sursaut la comédie qu'elle continuait à vivre en l'inventant, la tête sous son drap. Enfin elle descendit de son lit ;

entrò cauta nella camera dei fratelli e li chiamò a
voce bassa.

Giovanni, che aveva il sonno leggero, balzò a
sedere sul letto. La sorella aveva indossato sulla
camicia da notte, che le arrivava appena al ginocchio, un logoro cappottino di lana nera. I suoi
capelli lisci, non molto fitti né lunghi, erano
sciolti, i suoi occhi brillavano fra oblique ombre
nere al lume di una candela che ella teneva
stretta fra le due mani.

— Sveglia Pietro, — disse curvandosi sul letto
del fratello con una sollecitudine impaziente e
febbrile. In quel momento nel letto vicino Pietro si scuoteva e schiudeva gli occhi insonnoliti.
— È per il gioco, — ella spiegò.

Pigramente, piuttosto di malavoglia, Pietro si
rizzò sul gomito : ambedue i ragazzi guardavano
la sorella, il maggiore con aria distratta e inebe-
tita, l'altro, già curioso, sporgendo il volto dai
tratti vecchi e puerili verso la fiamma.

— È accaduto, — cominciò Antonietta con
fervore frettoloso, come chi parli di un evento
improvviso e grave, — che durante la partita di
caccia Roberto ha scritto un biglietto e lo ha nascosto nel cavo di un tronco. Il levriere di Isabella
per un miracolo corre a quel tronco e torna col
biglietto in bocca. «Fingi di smarrirti», c'è scritto,
«e trovati appena fa buio nel bosco che circonda
il castello di Challant. Di là fuggiremo».

elle entra précautionneusement dans la chambre de ses frères et les appela à voix basse.

Giovanni, qui avait le sommeil léger, s'assit d'un bond dans son lit. Sa sœur avait enfilé, par-dessus sa chemise de nuit qui lui arrivait à peine aux genoux, un vieux petit manteau de laine noire. Ses cheveux lisses, ni très longs ni très fournis, étaient dénoués, ses yeux brillaient parmi les ombres obliques et noires, à la lueur d'une bougie qu'elle tenait serrée entre les mains.

«Réveille-toi, Pietro», dit-elle en se baissant sur le lit de son frère avec une sollicitude impatiente et fébrile. À ce moment, dans le lit voisin, Pietro se secouait et entrouvrait ses yeux pleins de sommeil. «C'est pour le jeu», expliqua-t-elle.

Paresseusement, et plutôt de mauvaise grâce, Pietro se redressa sur son coude : les deux garçons regardaient leur sœur, l'aîné d'un air distrait et hébété, le second, déjà curieux, en avançant vers la flamme son visage aux traits à la fois vieux et puérils.

«Il est arrivé», commença Antonietta avec une ferveur hâtive, comme quelqu'un qui parle d'un événement soudain et grave, «que, pendant la partie de chasse, Roberto a écrit un billet et l'a caché dans le creux d'un tronc. Par miracle, le lévrier d'Isabella court à ce tronc et revient avec le billet dans sa gueule. "Feins de t'égarer — voilà ce qui est écrit — et, dès qu'il fera nuit, trouve-toi dans le bois qui entoure le château de Challant. De là, nous nous enfuirons."

Cosí, mentre tutti inseguono la volpe, *io* scappo e incontro Roberto. E il vento soffia, e lui mi fa salire sul suo cavallo, e fuggiamo nella notte. Ma i cavalieri si accorgono della nostra assenza e ci inseguono suonando le trombe.

— Facciamo che li trovano? — chiese Giovanni con gli occhi mobili e curiosi nella luce rossastra.

La sorella non poteva rimaner ferma, gestiva con ambedue le mani, cosí che la fiamma della candela oscillava in un disordine di esili baleni e di ombre enormi :

— Non si sa ancora, — rispose. — Perché, — aggiunse con un ridere misterioso e trionfante, — noi ora andiamo nella sala della caccia a fare il gioco.

— Nella sala della caccia! Non è possibile! — disse Pietro scuotendo il capo. — Tu scherzi! Di notte! Ci udiranno e ci scopriranno. Cosí tutto sarà finito —. Ma gli altri due gli furono contro indignati :

— Non ti vergogni? — dissero. — Che paura!

In un deciso tentativo di ribellione, Pietro si distese nuovamente nel letto :

— Io non vengo, no, — disse. Antonietta allora diventò supplichevole :

— Non rovinare tutto, — pregò, — tu devi fare i cacciatori e le trombe —.

Ainsi pendant que tout le monde poursuit le
renard, *moi*, je m'enfuis et je rencontre Roberto.
Et le vent souffle, et il me fait monter sur son cheval, et nous nous enfuyons dans la nuit. Mais les
cavaliers s'aperçoivent de notre absence et ils
nous poursuivent en sonnant de la trompe.

— On s'arrange pour qu'ils les trouvent?»
demanda Giovanni, avec ses yeux mobiles et
curieux dans la lumière rougeâtre.

Sa sœur ne pouvait rester en place, elle faisait
des gestes des deux mains, de telle sorte que la
flamme de la chandelle vacillait dans un désordre
de maigres éclairs et d'ombres énormes :

«On ne sait pas encore, répondit-elle. Parce
que, ajouta-t-elle avec un rire mystérieux et
triomphant, nous allons aller dans le salon de
chasse, pour jouer au jeu.

— Dans le salon de chasse? Ce n'est pas possible! dit Pietro en secouant la tête. Tu veux rire!
En pleine nuit! On va nous entendre et nous
découvrir! Et comme ça, tout sera fini.» Mais les
deux autres l'attaquèrent avec indignation :

«Tu n'as pas honte? dirent-ils. Quelle
frousse!»

Dans une ferme tentative de rébellion, Pietro
s'étendit de nouveau dans son lit :

«Non, moi, je ne viens pas», dit-il. Alors Antonietta devint suppliante :

«Ne gâche pas tout, implora-t-elle, tu dois faire
les chasseurs et les trompes de chasse.»

In tal modo vinse l'ultima resistenza di Pietro che si risolvette ad alzarsi. Egli indossava, come il fratello, una consunta camicia di flanella su cui si infilò i pantaloni corti. Antonietta aperse con circospezione l'uscio che dava sulla scala :

— Prendete anche la vostra candela, — avvertí a voce bassissima, — non ci sono lampade, là.

E i tre si avviarono, in fila, per la scala piuttosto stretta di un marmo sudicio e opaco. La «sala della caccia», era al primo piano, subito dopo la gradinata. Era una delle stanze piú vaste del palazzo e l'abbandono che rendeva squallide le altre stanze qui era animato dagli ampi scenari affrescati sulle pareti e sul soffitto. Rappresentavano scene di caccia, contro un paesaggio rupestre su cui crescevano alberi irti ed oscuri. Una moltitudine di levrieri, col muso in avanti e tese le zampe posteriori, correva dovunque in rapida fuga, mentre i cavalli balzavano in alto o procedevano solenni, nelle loro gualdrappe rosse e dorate. I cacciatori in abiti bizzarri di sete e velluti, squamati come la pelle dei pesci, con cappelli alti dalle lunghe piume o tricorni verdi, camminavano o marciavano dando fiato alle trombe.

De cette façon, elle vint à bout de l'ultime résistance de son frère, qui se résolut à se lever. Il portait, comme son frère, une vieille chemise de flanelle par-dessus laquelle il enfila ses culottes courtes. Antonietta ouvrit avec circonspection la porte qui donnait sur l'escalier :

«Prenez aussi votre bougie, leur murmura-t-elle, là-bas, il n'y a pas de lampe. »

Et tous trois se mirent en route, en file, dans l'étroit escalier de marbre crasseux et opaque. Le «salon de chasse» était au premier étage, tout de suite après les marches. C'était l'une des salles les plus vastes du palais, et l'abandon qui rendait sinistres les autres pièces était animé ici par les vastes scènes peintes sur les murs et le plafond. Elles représentaient des scènes de chasse sur un paysage rocheux où poussaient des arbres touffus et sombres. Une multitude de lévriers, le museau dressé et les pattes de derrière tendues, couraient partout dans une fuite rapide, tandis que les chevaux sautaient en l'air ou avançaient solennellement, dans leurs caparaçons rouge et doré. Les chasseurs, avec d'étranges costumes de soie et de velours, couverts d'écailles comme la peau des poissons, coiffés de hauts chapeaux garnis de longues plumes ou de tricornes verts, marchaient ou défilaient en sonnant de la trompe.

Lunghi nastri pendevano sventolando dalle trombe, drappi gialli e rossi sbattevano sul cielo ormai torbido, e dalla rupe spuntavano piante dalle foglie aguzze, e fiori aperti e rigidi, simili a pietre. Tutto questo era ingoiato dall'oscurità. Le candele, con le loro luci esigue per la vastità della sala, scoprivano qua e là i colori vivi delle selle o i dorsi bianchi dei cavalli. Le ombre dei fanciulli oscillavano gigantesche sulle pareti con gesti ingranditi e passi da fantasma.

Essi chiusero gli usci. Il dramma incominciò.

Il silenzio della notte era enorme; il vento si era fermato affinché gli alberi del bosco non stormissero. Antonietta era in piedi presso un albero dipinto nel quale d'improvviso cominciò a correre la linfa. Uccelli addormentati ma vivi giacquero fra le foglie. E su lei per miracolo crebbe una veste lunga, di forma sontuosa e vegetale, da cui pendeva una borsa d'oro. I suoi capelli si divisero in due trecce bionde, e le sue pupille si dilatarono per il rapimento e la paura.

— Coraggio, mio bene, sono qua io, qua, vicino a te, — sussurrò l'altro, mutandosi in gagliardo cavaliere. Il suo viso tenero e faunesco si sporgeva nell'oscurità. — Roberto! — ella disse con un debole strido, — Roberto! Stringimi, amore!

Una grazia subitanea affiorava in lei. I suoi denti e i suoi occhi brillavano di grazia, nel suo collo incurvato e nelle sue labbra si annidava la grazia.

De longs rubans pendaient des trompes et volti-
geaient, des étoffes de soie jaune et rouge vole-
taient sur le ciel devenu sombre, et, parmi les
rochers, pointaient des plantes aux feuilles aiguës,
et des fleurs ouvertes et rigides, semblables à des
pierres. Tout cela était englouti par l'obscurité.
Les bougies, avec leurs lumières insuffisantes pour
la dimension du salon, découvraient çà et là les
couleurs vives des selles et le dos blanc des chevaux. Les ombres des enfants s'agitaient, gigan-
tesques, sur les murs, avec des gestes agrandis et
des pas de fantôme.

Ils fermèrent les portes. Le drame commença.

Le silence de la nuit était énorme; le **vent**
s'était arrêté pour éviter de faire bruire les arbres
du bois. Antonietta était debout près d'un arbre
peint dans lequel la sève se mit soudain à courir.
Des oiseaux endormis mais vivants se nichèrent
entre les feuilles. Et sur elle, par miracle, grandit
une longue robe, d'une forme somptueuse et
végétale, d'où pendait une bourse d'or. Ses cheveux se divisèrent en deux tresses blondes, et ses
pupilles se dilatèrent de ravissement et de peur.

« Courage, mon âme, je suis ici, ici auprès de
toi », murmura l'autre, en se changeant en un
vaillant chevalier. Son tendre visage de faune
s'avançait dans l'obscurité. « Roberto ! dit-elle avec
un faible cri, Roberto ! serre-moi dans tes bras,
mon amour ! »

Une grâce soudaine affleurait en elle. Ses
dents et ses yeux brillaient de grâce, la grâce
reposait dans son cou recourbé et sur ses lèvres.

Ella si piegò, poggiando sul pavimento le ginoc-
chia nude. — Che fai, mia sposa? — egli disse.
— Alzati.

Lei trasaliva. — Tu sei venuto, — sussurrò quasi
gemendo, — e non è piú notte, non ho piú paura.
Finalmente sono vicina a te! Sono come dentro
una fortezza, come dentro un nido. Tu sapessi
che tristezza, e come piangevo in queste notti
solitarie! E tu, mio cuore, che cosa facevi in
queste notti?

— Erravo, — egli disse, — sul mio cavallo,
pensando al modo di rapirti. Ma non ricordare,
mia diletta, il tempo della solitudine. Ora tutto è
passato. Nessuna forza potrà separarci. Siamo
uniti per l'eternità.

— Per l'eternità! — ella ripeté smarrita. Sorri-
deva con le palpebre abbassate, e sospirava e tremava. D'improvviso ebbe un sussulto, e si strinse
a lui : — Non ti sembra, — disse, — di udire come
un suono di tromba in lontananza?

Roberto tese l'orecchio. — Devo suonare le
trombe? — interrogò Pietro accostandosi. Era la
sua specialità. Egli sapeva imitare il suono degli
strumenti da fiato e le voci degli animali e nel far
questo le sue gote si gonfiavano in modo strambo
e mostruoso.

— Sí, — bisbigliarono gli altri due.

Un suono di tromba, roco e basso, che via via
diventava piú vicino e squillante, si udí nel fondo.
Nella foresta il vento si levò; una folata trascinò
le chiome degli alberi come drappi di bandiere.

Elle se pencha, posant sur le dallage ses genoux nus. « Que fais-tu, ô ma fiancée ? dit-il, lève-toi ! »

Elle sursauta. « Tu es venu, murmura-t-elle, comme en gémissant, et il ne fait plus nuit, et je n'ai plus peur ! Enfin ! Je suis auprès de toi ! Je suis comme dans une forteresse, comme dans un nid. Si tu savais comme j'étais triste, et comme je pleurais pendant ces nuits solitaires. Et toi, mon cœur, que faisais-tu pendant ces nuits ?

— J'errais sur mon cheval, dit-il, en pensant à la façon dont je pourrais t'enlever. Mais, ma bien-aimée, il ne faut plus penser au temps de la solitude. Maintenant, tout est passé. Aucune force ne pourra nous séparer. Nous sommes unis pour l'éternité.

— Pour l'éternité », répéta-t-elle éperdument. Elle souriait, les paupières baissées, et soupirait et tremblait. Soudain, elle sursauta et se serra contre lui : « Ne crois-tu pas entendre, dit-elle, comme le son d'une trompe dans le lointain ? »

Roberto tendit l'oreille. « Est-ce que je dois sonner de la trompe ? » demanda Pietro en s'approchant. C'était sa spécialité. Il savait imiter le son des instruments à vent et les cris des animaux, et quand il faisait cela, ses joues se gonflaient d'une manière étrange et monstrueuse.

« Oui », chuchotèrent les deux autres.

On entendit le son d'une trompe, rauque et bas, qui devenait peu à peu plus proche et plus éclatant. Dans la forêt, le vent se leva ; une rafale entraîna le feuillage des arbres comme la soie des bannières.

I cavalli balzarono, i cavalieri si scossero sulle groppe, i falchi girarono nell'aria sibilante. I levrieri si gettarono nelle tenebre, e i cavalieri soffiando nei corni e gridando :

— Olà! Olà! — corsero innanzi fra le fiaccole che segnavano strisce e cerchi di fumo.

Isabella emise un grido, e rovesciò la testa indietro, aggrappandosi a Roberto :

— Mia Regina! — questi esclamò. — Nessuno ti strapperà da queste braccia! Lo giuro. E con questo bacio suggello il giuramento. Ora, avanzatevi! Avanzatevi, se ne avete il coraggio!

I due fanciulli si baciarono sulle labbra, Giovanni ingrandiva. Con gli zigomi arrossati e le tempie che battevano, si stringeva alla sorella. E questa, i capelli scomposti, la bocca bruciante, iniziò un ballo frenetico. — Venite, cavalieri e cavalli! — gridavano intanto. E Pietro saltava in qua e in là, ondeggiando sul corpo tozzo ed enfiando le gote, simile ad un grosso zufolo.

In quel momento, la tragedia e il tripudio si interruppero. Gli alberi e i cavalieri si irrigidirono, senza piú dimensioni, e un silenzio polveroso entrò nella stanza. Alla luce delle candele non c'erano piú che tre brutti fanciulli.

L'uscio si apriva. La marchesa, ispirata, aveva deciso improvvisamente una visita notturna nella camera dei figli, e le sue ricerche l'avevano condotta infine alla sala della caccia :

Les chevaux bondirent, les cavaliers s'agitèrent sur leurs croupes, les faucons tournoyèrent dans l'air sifflant. Les lévriers se jetèrent dans les ténèbres, et les cavaliers soufflant dans leurs cors et criant : « Holà ! holà ! » s'avancèrent en courant parmi les torches qui dessinaient des lignes et des cercles de fumée.

Isabella poussa un cri et renversa la tête en arrière, en s'agrippant à Roberto :

« Ma Reine ! s'écria celui-ci, nul ne t'arrachera de mes bras. Je le jure ! Et je scelle mon serment par ce baiser ! Et maintenant, avancez-vous ! Avancez-vous, si vous en avez le courage ! »

Les deux enfants s'embrassèrent sur les lèvres. Giovanni grandissait ; les joues rouges, les tempes battantes, il se serrait contre sa sœur. Et celle-ci, les cheveux en désordre, la bouche brûlante, commença une danse frénétique. « Venez, cavaliers et chevaux ! » criaient-ils en même temps. Et Pietro sautait çà et là, en vacillant sur son corps trapu ; avec ses joues gonflées, il avait l'air d'une grosse cornemuse.

À ce moment, la tragédie et l'allégresse s'interrompirent. Les arbres et les cavaliers se figèrent, perdant leurs dimensions, et un silence poussiéreux entra dans la pièce. À la lueur des bougies, il n'y avait plus que trois enfants laids.

La porte s'ouvrait. La marquise, saisie d'une inspiration, avait décidé à l'improviste de faire une visite dans la chambre des enfants, et ses recherches l'avaient conduite jusque dans le salon de chasse.

— Che cos'è questa commedia? — esclamò con voce squillante e stupida. Ed entrò, reggendo un alto candeliere, seguita dal marchese.

Le loro ombre grottesche strisciarono lunghe sulla parete di faccia. Il mento e il naso aguzzo, le dita secche, e la treccia oscillante della marchesa, appuntata in cima al cranio, si scuotevano debolmente in quella luce ora piú chiara, e la figura piccola ed umile del marchese restava indietro, immobile. Egli indossava una logora veste da camera a strisce gialle e rosse che lo faceva rassomigliare ad uno scarabeo, e i pochi capelli grigi, che ungeva sempre di una sua pomata, ritti sulla testa, gli davano l'espressione del terrore. Se ne stava lí guardingo, come pauroso d'inciampare, e velava con la palma distesa la fiamma del lume.

La marchesa girò sui figli uno sguardo acuto che li gelò; poi si volse alla figlia, con le sopracciglia sollevate e un ironico e sprezzante sorriso.

— Ma guardala! — esclamò, — carina! Oh, cara, cara! — e, fatta d'improvviso rabbiosa e pugnace, seguitò con tono piú alto: — Dovreste vergognarvi, Antonia! Mi spiegherete...

« Qu'est-ce que c'est que cette comédie ? » s'écria-t-elle d'une voix claironnante et stupide. Et elle entra en tenant un grand candélabre, suivie par le marquis.

Leurs ombres grotesques glissèrent, immenses, sur le mur opposé. Le menton et le nez pointu, les doigts secs et la tresse pendante de la marquise, fixée au sommet de sa tête, remuaient faiblement dans cette lumière maintenant plus claire, et la silhouette humble et menue du marquis restait derrière, immobile. Il portait une robe de chambre usée, à rayures jaune et rouge, qui le faisait ressembler à un scarabée, et ses rares cheveux gris, qu'il enduisait toujours d'une certaine pommade, étaient dressés sur sa tête et lui donnaient l'expression de la terreur. Il restait là, sur ses gardes, comme s'il avait eu peur de trébucher, et masquait de sa main tendue la flamme de la bougie.

La marquise tourna sur ses enfants un regard perçant qui les glaça ; puis elle s'adressa à sa fille, les sourcils levés, avec un sourire ironique et méprisant.

« Mais regardez-la ! s'écria-t-elle, qu'elle est mignonne ! Oh, ma chère, ma chère ! » et, devenue tout à coup furieuse et agressive, elle continua, sur un ton plus haut : « Vous devriez avoir honte, Antonia ! Vous m'expliquerez... »

I fanciulli tacevano; ma mentre i due fratelli rimanevano confusi ad occhi bassi, Antonietta, rincantucciata presso il suo albero ora ucciso, fissava la madre con occhi smarriti e aperti, simile ad una giovane quaglia sorpresa dallo sparviero. Poi il suo viso pallidissimo, dalle labbra sbiancate, si sparse di un rossore disordinato e violento, che coprí la sua pelle di chiazze oscure. Le sue labbra tremarono, ed ella si agitò un attimo sperduta, sopraffatta da una dolorosa e indomabile vergogna. Si ritraeva sempre piú nel suo angolo, come paurosa che qualcuno volesse toccarla e frugarla.

I due fratelli sbigottirono alla scena che seguí. La sorella cadde ad un tratto in ginocchio, e credettero che volesse chiedere perdono : invece ella si coprí la faccia infuocata con le mani, e cominciò a scuotersi bizzarramente in un rauco e febbrile ridere, che presto diventò un pianto rabbioso. Si scoprí la faccia convulsa, e, distesa a terra con le gambe irrigidite, prese a strapparsi, con un gesto puerile e continuo, i suoi capelli sciolti.

— Antonietta! Che cosa succede? — esclamò il marchese esterrefatto. — Taci tu! — ordinò la marchesa, e, poiché la figlia nell'agitarsi aveva scoperto le sue gambe esili e bianche, torse il capo con ribrezzo.

— Alzatevi, Antonietta, — comandò. Ma la sua voce esasperò la figlia, che parve posseduta dalle furie;

Les enfants se taisaient ; mais, tandis que les deux garçons restaient confus, les yeux baissés, Antonietta, blottie près de son arbre désormais privé de vie, fixait sa mère avec des yeux égarés et grands ouverts, pareille à une petite caille surprise par un épervier. Puis son visage très pâle, aux lèvres blanchies, se colora d'une rougeur désordonnée et violente, qui couvrit sa peau de taches sombres. Ses lèvres tremblèrent, et elle s'agita un moment, perdue, écrasée par une honte douloureuse et irrépressible. Elle se reculait toujours davantage dans son coin, comme si elle avait peur que quelqu'un ne voulût la toucher et la fouiller.

Les deux frères restèrent désemparés devant la scène qui suivit. Leur sœur tomba soudain à genoux, et ils crurent qu'elle voulait demander pardon : au contraire, elle couvrit de ses mains son visage en feu, et commença à se secouer bizarrement en un rire rauque et fébrile, qui se transforma vite en pleurs de rage. Elle découvrit son visage convulsé, et, allongée par terre les jambes raides, elle se mit à arracher ses cheveux dénoués, en un geste puéril et continu.

« Antonietta ! Qu'est-ce qui se passe ? » s'écria le marquis épouvanté. « Toi, tais-toi ! » lui ordonna la marquise, et comme sa fille, en s'agitant, avait découvert ses jambes maigres et blanches, elle détourna la tête avec dégoût.

« Levez-vous, Antonietta », commanda-t-elle. Mais sa voix exaspéra sa fille, qui parut possédée par les furies ;

era la gelosia del suo segreto che la squassava. Muti, i fratelli si scostarono, ed ella rimase sola nel mezzo, scrollando la testa come se volesse staccarla dal collo, gemendo con gesti scomposti e impudichi. — Aiutatemi a sollevarla, — disse infine la marchesa, e, appena i genitori la toccarono, Antonietta cessò ogni moto, sfinita. Sorretta per le ascelle, si avanzava senza coscienza su per la scala dalle luci fioche; i suoi occhi erano asciutti e fissi, sulle labbra aveva la schiuma dell'ira, e il suo gridare aveva ceduto ad un lamento soffocato e interrotto, ma pieno d'odio. Ella continuò a lamentarsi in tal modo anche nel suo letto in cui la fecero distendere; e la lasciarono sola.

Nella camera vicina i fratelli non potevano impedirsi di tendere l'orecchio a quel lamento che li distoglieva anche dal pensiero del segreto violato. Poi Pietro fu sopraffatto da un sonno privo di sogni, e Giovanni rimase solo a vegliare in quell'oscurità. Senza pace si rivoltava ora su un fianco ora sull'altro, finché si decise e, lasciato il letto, entrò a piedi nudi nella camera della sorella. Era una camera angusta, oblunga, in cui si respirava l'aria dell'infanzia, ma di un'infanzia repressa di collegio. Il soffitto era adorno di une figurina scolorita: una donna snella, vestita di veli arancione, che danzando tendeva le braccia verso un vaso dipinto.

c'était la jalousie de son secret qui la bouleversait. Muets, ses frères s'écartèrent, et elle resta seule au milieu, en secouant la tête comme si elle avait voulu l'arracher de son cou, en gémissant avec des gestes désordonnés et impudiques. «Aidez-moi à la soulever», dit enfin la marquise, et, dès que ses parents la touchèrent, Antonietta cessa tout mouvement, épuisée. Soutenue par les bras, elle s'avançait sans conscience en montant l'escalier aux lumières basses; ses yeux étaient secs et fixes, elle avait sur les lèvres l'écume de la colère, et ses cris avaient cédé à une lamentation étouffée et saccadée, mais remplie de haine. Elle continua encore à se lamenter, de la même façon, dans son lit où ils la firent s'étendre; et ils la laissèrent seule.

Dans la chambre voisine, ses frères ne pouvaient s'empêcher de tendre l'oreille vers cette plainte qui les éloignait aussi de la pensée de leur secret violé. Puis Pietro fut vaincu par un sommeil sans rêves, et Giovanni resta seul à veiller dans cette obscurité. Incapable de s'apaiser, il se tournait d'un côté sur l'autre, puis il se décida, et, après avoir quitté son lit, il entra, les pieds nus, dans la chambre de sa sœur. C'était une chambre étroite, oblongue, où l'on respirait l'air de l'enfance; mais d'une enfance brimée de collège. Le plafond était orné d'un petit personnage déteint : une femme mince, vêtue de voiles orange, qui, tout en dansant, tendait les bras vers un vase peint.

Le pareti erano macchiate e squallide, un paio di vecchie babbucce rosse era posto accanto al letto di legno, e sulla parete un angelo dalle ali distese reggeva un'acquasantiera. La lampada della notte era accesa e spandeva sul letto un alone azzurrastro e fievole :

— Antonietta! — chiamò Giovanni. — Sono io...

La sorella parve non accorgersi del richiamo, quantunque i suoi occhi fossero aperti e pieni di lagrime ; giaceva immersa nel suo lagno infantile, con le labbra contratte e tremolanti, e non si mosse ; piano piano i suoi occhi si andavano chiudendo, e le ciglia umide apparivano lunghe e raggiate. A un tratto come scuotendosi ella chiamò :

— Roberto! — e questo nome e l'acuta dolcezza della voce piena di rimpianto sbigottirono il fratello.

— Antonietta! — ripeté. — Sono io, tuo fratello Giovanni!

— Roberto, — ella ripeté a voce piú bassa. Ora, calmandosi, pareva raccolta in se stessa e attenta, come chi segue cauto le orme di un sogno. In silenzio, il fratello avvertí anch'egli la presenza di Roberto nella camera ; alto, un po' spaccone, col giustacuore di velluto nero, l'arma arabescata e le fibbie d'argento, Roberto era in piedi fra loro due.

Antonietta pareva ormai tranquilla e addormentata ; egli uscí nel corridoio.

Les murs étaient tachés et sales; une paire de vieilles pantoufles était placée à côté du lit de bois, et, contre le mur, un ange aux ailes étendues tenait un bénitier. La veilleuse était allumée et répandait sur le lit un halo bleuâtre et pâle.

«Antonietta! appela Giovanni. C'est moi...»

Sa sœur ne parut pas s'apercevoir de son appel, bien que ses yeux fussent ouverts et pleins de larmes; elle gisait, plongée dans sa plainte d'enfant, les lèvres serrées et tremblantes, et ne bougea pas; tout doucement, ses yeux étaient en train de se fermer, et l'on voyait ses cils humides, longs et étoilés. Tout à coup, comme en sursautant, elle appela:

«Roberto!» et ce nom et la douceur poignante de sa voix pleine de regrets déconcertèrent son frère.

«Antonietta! répéta-t-il. C'est moi, ton frère, Giovanni!»

«Roberto!» répéta-t-elle d'une voix plus basse. Maintenant, elle se calmait, elle paraissait recueillie en elle-même et attentive, comme quelqu'un qui suit avec attention les traces d'un rêve. En silence, son frère perçut lui aussi la présence de Roberto dans sa chambre; grand, un peu fanfaron, avec son justaucorps de velours noir, son arme damasquinée et ses boucles d'argent, Roberto était debout entre eux deux.

Antonietta paraissait désormais tranquille et endormie; il sortit dans le couloir.

Qui lo avvolse il silenzio della casa, un silenzio
rinchiuso e nello stesso tempo senza limiti, come
quello dei sepolcri. Il soffocamento e la nausea lo
presero alla gola, cosí che si accostò all'ampia
finestra della scala e aprí i vetri. Udiva nella notte
leggeri tonfi, come di corpi molli che cades-
sero sulla sabbia del giardino; vivo e sensibile gli
apparve lo spazio di là dal giardino, e il bisogno
della fuga, avvertito già altre volte, seppure chi-
merico e vago, lo afferrò ora subitaneo e irresisti-
bile.

Senza pensare, quasi inerte, tornò nella sua
camera e si infilò i panni al buio. Con le scarpe in
mano discese la scala, e il cigolio del portone
richiuso dietro di lui lo atterrí, e insieme lo deli-
ziò come un canto :

— Addio, Antonietta, — disse piano. Pensava
che mai piú avrebbe rivisto Antonietta, mai piú la
casa e la piazza; doveva soltanto camminare
diritto innanzi perché tutto ciò non esistesse piú.

Sulla piazza vuota si udiva il rauco gocciare
della fontana ed egli si volse dall'altro lato, disto-
gliendo lo sguardo da quella fredda e trista faccia
di marmo. Percorse le strade note, finché comin-
ciarono i viottoli campestri e poi i campi aperti.

Là, il fut saisi par le silence de la maison, un silence renfermé et pourtant sans limites, comme celui des tombeaux. L'étouffement et la nausée le prirent à la gorge, aussi il s'approcha de la grande fenêtre de l'escalier et ouvrit les vitres. Il entendait dans la nuit des bruits légers, comme ceux de corps mous tombant sur le sable du jardin; l'espace au-delà du jardin lui parut vivant et sensible, et le besoin de s'enfuir, qu'il avait déjà éprouvé d'autres fois, mais de façon chimérique et vague, s'empara maintenant de lui, soudain et irrésistible.

Sans réfléchir, presque inerte, il retourna dans sa chambre et enfila ses vêtements dans le noir. Ses chaussures à la main, il descendit l'escalier, et le grincement de la grande porte refermée derrière lui l'atterra et en même temps le charma comme un chant.

« Adieu, Antonietta », dit-il tout bas. Il pensa qu'il ne reverrait jamais plus Antonietta, jamais plus la place ni la maison; il devait seulement marcher, droit devant lui, afin que tout cela n'existât plus.

Sur la place déserte, on entendait le ruissellement rauque de la fontaine, et il se tourna de l'autre côté, en détournant le regard de cette froide et triste façade de marbre. Il parcourut les rues qu'il connaissait, jusqu'au moment où commencèrent les petits chemins de campagne, puis les champs.

Il grano già alto e verde cresceva a destra e a
sinistra, nel fondo le montagne parevano una
nuvolaglia indistinta, e la notte avanzata, come
esausta, respirava umida e ferma sotto i lumi
pungenti delle stelle. «Arriverò a quella catena di
monti, — egli pensò, — e poi al mare». Non
aveva mai visto il mare, e il rombo illusorio e
cupo di una conchiglia che spesso da bimbo
accostava per giuoco all'orecchio ritornò a lui,
ma vivente ora e ripercosso intorno, cosí che
invece dei campi gli parve di avere ai lati due
stese di acque tranquille in continuo risucchio.
Dopo qualche tempo, pensò di aver molto cam-
minato, mentre si era di poco allontanato dal suo
borgo. Sfinito volle riposarsi al piede di un albero
dal tronco liscio e dalla chioma ampia e divisa in
due lunghe ramificazioni simili ai due bracci di
una croce.

Aveva appena appoggiato il capo alla corteccia
quando avvertí un brivido : «Il male», pensò atter-
rito e insieme calmo. La febbre infatti entrava in
lui, scavava con le radici infuocate e torbide nel
suo corpo già troppo debole per rialzarsi. Subito
la sua vista divenne acuta, cosí che egli distingueva ora il brulichio degli animali notturni che
gli facevano cerchio d'intorno, e vedeva il battere
e lo spegnersi dei loro occhi simili a fuochi appan-
nati.

Le blé déjà haut et vert poussait à droite et à gauche, au fond, les montagnes semblaient un amas de nuages indistincts, et la nuit avancée, comme épuisée, respirait humide et immobile sous les lueurs aiguës des étoiles. «J'arriverai à cette chaîne de montagnes, pensa-t-il, et puis à la mer.» Il n'avait jamais vu la mer, et le murmure illusoire et sombre d'un coquillage que, souvent, quand il était enfant, il approchait par jeu de son oreille lui revint mais vivant maintenant et répercuté en lui-même, de sorte qu'au lieu des champs, il lui parut avoir à ses côtés deux étendues d'eau tranquilles, avec des remous incessants. Quelque temps après, il pensa qu'il avait beaucoup marché, alors qu'il ne s'était guère éloigné de son village. Épuisé, il voulut se reposer au pied d'un arbre dont le tronc était lisse et dont le feuillage épais était divisé en deux longues ramifications semblables aux deux bras d'une croix.

Il venait d'appuyer sa tête contre l'écorce lorsqu'il sentit un frisson : «Le mal», pensa-t-il, atterré et calme à la fois. De fait, la fièvre entrait en lui, elle creusait avec ses racines enflammées et troubles dans son corps déjà trop faible pour qu'il pût se relever. Aussitôt sa vue devint aiguë, de sorte qu'il distinguait maintenant le fourmillement des animaux nocturnes qui faisaient cercle autour de lui, et il voyait cligner et s'éteindre leurs yeux semblables à des feux voilés.

Ammiccavano, li riconosceva tutti, e forse avrebbe potuto chiamarli uno per uno e fare ad essi le infinite domande che fin dall'infanzia si accumulavano in lui.

Ma, con una strana fretta, già la notte trasmigrava nel giorno. Sopravveniva un'alba chiara nella quale il paesaggio parve mutato in una larga città di creta, polverosa e deserta, sparsa di capanne simili a cumuli di terra, e di tozze colonne. In questa città, dalla parte del sole, apparve Isabella, grande sul cielo come una nuvola, con la veste uguale al calice di un fiore rosso. Ella gli veniva incontro, sebbene i suoi piedi fossero immobili. Le sue spalle nude si rilasciavano per la stanchezza, mentre la sua bocca chiusa pareva sorridere, e i suoi occhi vitrei e fermi lo fissavano per farlo dormire.

Egli docile si addormentò : e a giorno fatto, fu proprio l'odiato servo che lo ritrovò e lo portò a casa fra le sue braccia volgari. Come tante altre volte, Giovanni giaceva nel suo letto per giornate inconsapevoli di esser vissute, sua sorella Antonietta lo vegliava. Ella stava lí pigra e tranquilla, qualche volta cucendo, spesso in ozio. Guardava il fratello che vaneggiava nei suoi mondi rossi e infuocati, e di tanto in tanto gli porgeva l'acqua. Stava seduta là, col suo grembiule e la pettinatura liscia, simile ad una serva di convento.

Le sue labbra parevano bruciate.

Ils lui faisaient des signes, il les reconnaissait tous, et peut-être qu'il allait pouvoir les appeler un à un et leur poser les questions innombrables qui, depuis son enfance, s'accumulaient en lui.

Mais, avec une hâte étrange, la nuit émigrait déjà dans le jour. Il se levait une aube claire dans laquelle le paysage parut changé en une vaste cité de craie, poussiéreuse et déserte, parsemée de cabanes semblables à des mottes de terre, et de courtes colonnes. Dans cette ville, du côté du soleil, apparut Isabella grande comme un nuage devant le ciel, avec une robe semblable au calice d'une fleur rouge. Elle venait à sa rencontre, bien que ses pieds fussent immobiles. Ses épaules nues se courbaient de fatigue, tandis que sa bouche fermée paraissait sourire, et que ses yeux vitreux et immobiles le fixaient pour le faire dormir.

Docilement, il s'endormit, et, le jour venu, ce fut précisément le serviteur détesté qui le retrouva et le porta à la maison dans ses bras vulgaires. Comme tant d'autres fois, Giovanni gisait dans son lit, pendant des journées inconscientes d'être vécues ; sa sœur Antonietta le veillait. Elle restait là, paresseuse et tranquille, parfois cousant, souvent sans rien faire. Elle regardait son frère qui délirait dans ses mondes rouges et ardents, et de temps en temps elle lui tendait de l'eau. Elle restait là, assise, avec son tablier et sa coiffure lisse, semblable à une domestique de couvent.

Ses lèvres paraissaient brûlées.

Donna Amalia
Donna Amalia

Donna Amalia

Donna Amalia Cardona (che a quel tempo doveva avere sui cinquant'anni, ma ne mostrava trentacinque), era alta piú del comune, non soltanto fra le signore, ma anche in confronto alla media degli uomini; cosí che la si vedeva torreggiare nei salotti e a teatro, in qualsiasi compagnia si trovasse. Di piú, essa portava sempre scarpette dai tacchi sottili e altissimi, per far meglio figurare il suo piedino, che, in contrasto con la statura, aveva piccolo come un piede di bambola. Le sue scarpette parevano uscite dalla bottega d'un orefice piuttosto che da quella d'un calzolaio; e né polvere né fango le toccavano, giacché donna Amalia, a somiglianza delle antiche dame cinesi, non camminava mai, se non all'interno del suo palazzo (ma le sarebbe piaciuto d'essere una Papessa, per avere il diritto di farsi condurre in portantina anche attraverso i suoi giardini e le sue stanze).

Donna Amalia

Donna Amalia Cardona (qui, à cette époque, devait avoir environ cinquante ans, mais en paraissait trente-cinq) était d'une taille supérieure à la moyenne, non seulement parmi les femmes, mais aussi par rapport à l'ensemble des hommes : ainsi, on la voyait dominer, dans les salons et au théâtre, quels que fussent ses compagnons. De plus, elle portait toujours des escarpins aux talons fins et très hauts, afin de mieux mettre en valeur son petit pied, qui, par contraste avec sa taille, était aussi petit qu'un pied de poupée. Ses escarpins semblaient sortir de la boutique d'un orfèvre plutôt que de celle d'un bottier ; et ni la poussière ni la boue ne les touchaient, car Donna Amalia, à l'image des dames chinoises de l'antiquité, ne marchait jamais, sinon à l'intérieur de son palais (mais elle aurait aimé être une Papesse, pour avoir le droit de se faire porter en chaise, même à travers ses jardins et ses appartements).

Le pareva una assurdità contro natura di sotto-
mettere a fatica i suoi piedini o le sue manine
(minuscole anche queste al pari dei piedi) i quali
erano fatti solo per figurare, come i gerani sulle
logge.

Sebbene tanto infingarda, donna Amalia, tuttavia, non era ingrassata smisuratamente, come
molte altre signore della sua età. Le sue membra,
non troppo grasse, erano però di un disegno cosí
nobile : e la sua ossatura cosí vigorosa sotto le
carni delicate, che ella appariva quale una gigan-
tessa sacra, una statua dipinta della Processione.
Il colore della sua pelle era di un bruno olivastro,
e la testa, piuttosto piccola, di profilo appariva un
po' grifagna, per via del naso, fortemente aqui-
lino; ma vista di fronte, ti raddolciva il cuore : in
grazia del sorriso, in cui la bocca, piccola e car-
nosa, mostrava dei denti che somigliavano al gel-
somino d'Arabia. E in grazia degli occhi, i quali
(sotto i sopraccigli nerissimi e forse troppo folti),
erano di un ovale sottile, di un color nero vellu-
tato, lucente; e riflettevano dei pensieri di un'
allegria tanto consolante, che, a guardare quegli
occhi, ti pareva di sentir dialogare due uccelli.

Cela lui paraissait une absurdité contre nature que de soumettre à la fatigue ses petits pieds ou ses petites mains (minuscules elles aussi, tout comme ses pieds), qui n'étaient faits que pour être regardés, comme les géraniums sur les balcons.

Bien qu'elle fût si paresseuse, Donna Amalia n'avait cependant pas engraissé démesurément, comme beaucoup d'autres dames de son âge. Ses membres, qui n'étaient pas trop gros, étaient pourtant d'un dessin si noble, et son ossature si vigoureuse sous ses chairs délicates, qu'elle apparaissait comme une géante sacrée, une statue peinte pour la Procession. La couleur de sa peau était d'un brun olivâtre, et sa tête, plutôt petite, avait de profil un aspect un peu rapace, à cause de son nez, fortement aquilin ; mais, vue de face, elle vous attendrissait le cœur, grâce à son sourire, où sa bouche, petite et charnue, montrait des dents qui ressemblaient au jasmin d'Arabie, et grâce à ses yeux qui (sous les sourcils très noirs et peut-être trop épais) étaient d'un ovale délicat, d'une couleur noire veloutée, luisante : ils reflétaient des pensées d'une gaieté si consolante qu'en regardant ces yeux, vous aviez l'impression d'entendre dialoguer deux oiseaux.

La ragione per cui donna Amalia non ingrassava troppo era che, nell'intimo di lei, continuava ad ardere, senza mai consumarsi, quel fervore che una donna comune può conoscere quando è bambina; ma che poi si frena in gioventú, e tramonta nell'età adulta. I sentimenti, i pensieri di donna Amalia erano sempre in moto, sempre accesi; e perfino nel sonno non si quietavano giacché il suo riposo era un tale spettacolo di sogni che, a raccontarli, sembrerebbero le Mille e una Notte.

Il segreto del carattere di donna Amalia stava tutto in ciò: che ella, a differenza della gente comune, non acquistava mai, verso gli aspetti (anche i piú consueti) della vita, quell'abitudine da cui nascono l'indifferenza e la noia. Mostrate a un bambino un candelabro acceso: spalancherà gli occhi, agiterà le mani e farà festa come se vedesse una meraviglia della natura. Col tempo, egli s'abituerà alle grazie della vita, e ci vorrà qualcosa di raro per dargli meraviglia e piacere. Non cosí per donna Amalia; essa rimaneva sempre una novellina, e il mondo, per lei, era un teatro d'Opera sempre aperto, con tutte le luci accese. Per esempio: che cosa c'è di piú comune, di piú visto, del sole e della luna?

La raison pour laquelle Donna Amalia n'engraissait pas trop était que, au fond d'elle-même, continuait de brûler, sans jamais se consumer, cette ferveur qu'une femme ordinaire peut connaître quand elle est enfant, mais qui se réfrène ensuite dans sa jeunesse, et disparaît à l'âge adulte. Les sentiments, les pensées de Donna Amalia étaient toujours en mouvement, toujours ardents ; et ils ne s'apaisaient pas même dans le sommeil, car son repos était un tel spectacle de songes, qu'à les raconter, on les aurait pris pour les Mille et Une Nuits.

Le secret du caractère de Donna Amalia résidait tout entier en ceci : à la différence des gens ordinaires, elle n'acquérait jamais, à l'égard des aspects, même les plus coutumiers, de la vie, cette habitude dont naissent l'indifférence et l'ennui. Montrez à un enfant un chandelier allumé : il ouvrira de grands yeux, agitera les mains, et fera une fête comme s'il voyait une merveille de la nature. Avec le temps, il s'habituera aux grâces de la vie, et il lui faudra quelque chose de rare pour lui donner de l'étonnement et du plaisir. Il n'en était pas de même pour Donna Amalia ; elle restait toujours une novice, et le monde, pour elle, était un théâtre d'Opéra toujours ouvert, avec toutes ses lumières allumées. Par exemple : qu'y a-t-il de plus commun, de plus connu que le soleil et la lune ?

Ebbene : a ogni sole, a ogni luna, donna Amalia
si entusiasmava, si incuriosiva, e si tormentava
d'invidia come se vedesse passare il corteo della
Regina di Saba. La mattina, quando le aprivano
le finestre, lei dal suo letto (dormiva su tre guanciali di piume cosí che, pure in letto, sotto i suoi
bei riccioli ala-di-corvo e nella camicia da notte
di pizzo, pareva assisa in trono), si dava a escla-
mare, languida, incantata : — Ah, che sole!
Santa Rosaliuzza mia, che sole! Apri, apri tutte le
persiane, Antoniuccia, scosta le tende. Ah, beata
Vergine del Carmelo, guardate! s'è mai visto un
sole simile, mi fa chiudere gli occhi, mi viene
quasi male. Questo non è un sole, è un tesoro,
questa è una miniera! sembra che a parare le
mani, si devano riempire d'oro zecchino. Che si
dice, eh? c'è una gran distanza di qui al sole!
pare che non la misurino nemmeno col chilometro, ma con gli anni. E si dice che lo stesso Matu-
salem, se avesse impiegato l'intera sua vita a filare
su al cielo senza riposarsi mai, niente; pure con
quella testa dura che aveva, non sarebbe arrivato!

E sul primo tempo della luna calante, poteva
accadere che donna Amalia svegliasse a grandi
scampanellate, nel cuore della notte, le sue came-
riere predilette, addette particolarmente alla sua
persona (erano tre, e si chiamavano Medina, Cristina e Antoniuccia).

Eh bien, devant chaque soleil, devant chaque lune, Donna Amalia s'enthousiasmait, se prenait de curiosité, et elle se tourmentait d'envie comme si elle voyait passer le cortège de la Reine de Saba. Le matin, lorsqu'on ouvrait ses fenêtres, de son lit (elle dormait sur trois oreillers de plume de telle sorte que, même dans son lit, sous ses belles boucles aile de corbeau et dans sa chemise de nuit de dentelles, elle paraissait assise sur un trône), elle commençait à s'écrier, languissante et ravie : « Ah, quel soleil ! Ma petite sainte Rosalie, quel soleil ! Ouvre, ouvre toutes les persiennes, Antoniuccia, écarte les rideaux ! Ah, sainte Vierge du Carmel, regardez ! on n'a jamais vu un soleil pareil, il me fait fermer les yeux, je me sens presque mal. Mais ce n'est pas un soleil, c'est un trésor, c'est une mine ! On dirait que si on tend les mains, elles vont se remplir d'or fin ! Qu'est-ce qu'on raconte ? il y a une grande distance d'ici au soleil ! il paraît qu'on ne la mesure même pas en kilomètres, mais en années. Et on dit que même Mathusalem, s'il avait passé toute sa vie à filer droit au ciel sans jamais se reposer, eh ! bien non, même avec sa tête dure, il n'y serait pas arrivé ! »

Et lorsque la lune commençait à décroître, il pouvait arriver que Donna Amalia réveillât à grands coups de sonnette, au cœur de la nuit, ses femmes de chambre préférées, celles qui étaient plus particulièrement chargées de sa personne (il y en avait trois, elles s'appelaient Medina, Cristina et Antoniuccia).

E com'esse accorrevano, scalpicciando a piedi
nudi, coperte alla meglio e spettinate, trovavano
la loro padrona gioiosa, estatica, che diceva:
— Ah, figliuzze mie, venite tutte qua; venite tutte
qua intorno a me. Io non posso dormire piú!
Non vedete che luna è uscita in cielo? Ci cori-
cammo che non c'era, fuori faceva un buio tale
che pareva una caverna; e d'un tratto mi sveglio,
e che vedo? è uscita una luna! una luna come
non s'è mai vista! Questa non è una luna, è un
sole! Guardate l'aria! Questa non è un'aria, è
una specchiera! sembra che ad affacciarsi su
questa serata uno ci si deva specchiare il viso. Ah,
Maria Santissima, madruzza mia dolce, che bellezza di luna! che se ne va per il cielo, come una
barchetta per il mare! guardate quanto è bianca!
che corpicino candido, che bellezza! Guardala
bene, tu, Medina; tu devi vederla bene, perché
hai gli occhi verdi, come i gatti. A guardarci dentro, ci si vedono come dei disegni, delle macchie.
Si dice che sia la figura della corona di spine e dei
chiodi di Nostro Signore. Ma certuni ci vedono
due fidanzati che si baciano, e altri una faccia che
ride. Tu che ci vedi?

Con gli occhi mezzo chiusi dal sonno, Medina
guardava la luna e rispondeva:

— Sí, Eccellenza...

— Come sarebbe a dire: *sí, Eccellenza*! ti
domando che cosa ci vedi tu!

Et, comme elles arrivaient, traînant leurs pieds nus, vêtues tant bien que mal et décoiffées, elles trouvaient leur maîtresse joyeuse, extasiée, qui disait : « Ah, mes petites, venez toutes ici ! Venez toutes autour de moi. Je ne peux plus dormir ! Ne voyez-vous pas la lune qui est venue dans le ciel ? Quand nous nous sommes couchées, elle n'était pas là, dehors, il faisait aussi noir que dans une caverne, et tout d'un coup, je me réveille, et qu'est-ce que je vois ? Il est sorti une lune ! une lune comme on n'en a jamais vu ! Mais ça, ce n'est pas une lune, c'est un soleil ! Regardez l'air ! ce n'est pas de l'air, c'est un miroir ! on dirait qu'en se penchant sur cette soirée, on va s'y mirer le visage. Ah, Marie très sainte, ma douce mère, quelle splendeur de lune ! elle s'en va dans le ciel comme une petite barque dans la mer ! regardez comme elle est blanche ! quel petit corps clair ! quelle beauté ! Regarde-la bien, toi, Medina ; tu dois bien la voir, parce que tu as les yeux verts, comme les chats. Quand on la regarde bien, on y voit comme des dessins, des taches. On dit que c'est l'image de la couronne d'épines et des clous de Notre-Seigneur. Mais il y a des personnes qui y voient deux fiancés qui s'embrassent, et d'autres une figure qui rit. Toi, qu'est-ce que tu y vois ? »

Les yeux à demi fermés par le sommeil, Medina regardait la lune et répondait :

« Oui, Excellence…

— Qu'est-ce à dire : *oui, Excellence !* je te demande ce que tu y vois, toi ! »

— Quelli, Eccellenza, son proprio gli strumenti del martirio di Nostro Signore.

— E tu, Cristina, che ci vedi? eh, che ci vedi, tu?

Cristina osservava attentamente la luna, senza sapere che cosa rispondere. Ma, non interrogata, interveniva nel discorso la più giovane, Antoniuccia:

— Vi devo dire una cosa, Eccellenza (sarà peccato?) Io la guardo sempre, la luna, l'avrò guardata più di mille volte, e anche da più vicino, da sopra la montagna. Beh, quelle figure là, che dite voi, non mi significano niente, a me. Io ci vedo tutto uno scarabocchio.

— Salomone parlò! Savi, *stronomici*, religiosi a migliaia hanno studiato quei disegni nel corpo della luna; ci hanno consumato gli occhi, gli strumenti, ci hanno stampato delle tonnellate di libri! E uno li spiega in un modo, uno in un altro: è un mistero! ma sul più bello arriva la signorina... come ti chiami tu, di cognome?

— Antoniuccia.

— Dieci con lode! Fin qui l'avevo già imparato da sola. Non il nome di battesimo, t'ho domandato, ma il cognome. Non posso avere in mente tutti i vostri cognomi.

— Ah, scusate. Di cognome faccio Altomonte, Eccellenza. Altomonte Antoniuccia.

— Cela, Excellence, ce sont vraiment les instruments du martyre de Notre-Seigneur.

— Et toi, Cristina, qu'est-ce que tu y vois? Hein, toi, qu'est-ce que tu y vois?»

Cristina observait attentivement la lune, sans trop savoir quoi répondre. Mais, sans avoir été interrogée, Antoniuccia, la plus jeune, intervenait dans la discussion :

«Il faut que je vous dise une chose, Excellence (est-ce un péché?). Moi, je la regarde toujours, la lune, je dois l'avoir regardée plus de mille fois, et même de plus près, du haut de la montagne. Eh bien, ces images-là, dont vous parlez, pour moi, cela ne veut rien dire. Je n'y vois qu'un gribouillis.

— Salomon a parlé! Des savants, des *nastronomes*, des religieux par milliers ont étudié des dessins dans le corps de la lune; ils y ont usé leurs yeux, leurs instruments, ils ont imprimé des tonnes de livres! Et les uns l'expliquent d'une manière, les autres d'une autre : c'est un mystère! mais au meilleur moment, voilà Mademoiselle… comment t'appelles-tu, toi?

— Antoniuccia.

— Bravo, dix sur dix! Jusque-là, je l'avais déjà appris toute seule. Ce n'est pas ton nom de baptême que je t'ai demandé, mais ton nom de famille. Je ne peux pas avoir dans la tête tous vos noms de famille.

— Ah, pardon. Mon nom, c'est Altomonte, Excellence. Altomonte Antoniuccia.

— ... arriva la signorina Altomonte, e li mette tutti in castigo con una sola parola. *Quelle figure là sono scarabocchi, non significano nulla!* Lo vuoi sapere che cosa sei, tu, Antoniuccia? una scarruffona!

A queste ultime parole Antoniuccia si faceva rossa: — Scusate, Eccellenza, — balbettava, — quando ho sentito il vostro campanello, sono corsa qua cosí di corsa, che non ho avuto neanche il tempo di pettinarmi, — e, sorridendo confusa, cercava di ravviarsi i capelli con le dita.

Ma donna Amalia già non s'occupava piú di lei; i suoi occhi rimiravano di nuovo la luna, e s'erano fatti pensierosi:

— Curioso! — ella diceva con un sospiro, — a guardarla di qua, mica sembrerebbe tanto lontana. Dicono che quello... che nome aveva, quello che stava giú all'Albergheria? il Balsamo, il Conte Cagliostro! lui, a quanto dicono, ci andò. Medina! tu conescesti una parente, è vero, del Conte Cagliostro? Le hai parlato?

— Sí, Eccellenza, la conobbi. Si chiama Vittorina. Sua nonna era la figlia di una che fu comare del Santo Battesimo al Conte Cagliostro. Sí, Eccellenza, le parlai.

— E ti facesti raccontare qualcosa di questo viaggio nella luna? In che modo ci arrivò, quel cristiano, e che cosa vide, là dentro?

— ... et voilà Mademoiselle Altomonte, qui les met tous en pénitence, d'un seul mot. *Ces images-là sont des gribouillis, elles ne veulent rien dire!* Tu veux savoir ce que tu es, toi, Antoniuccia? Tu es une tête de loup. »

À ces derniers mots, Antoniuccia rougissait : « Pardonnez-moi, Excellence, balbutiait-elle, quand j'ai entendu votre sonnette, je me suis précipitée tout de suite ici, et je n'ai même pas eu le temps de me peigner » et, souriant avec confusion, elle essayait de se remettre les cheveux en ordre avec ses doigts.

Mais Donna Amalia ne s'occupait déjà plus d'elle ; ses yeux contemplaient de nouveau la lune, et ils étaient devenus pensifs :

« C'est curieux ! disait-elle avec un soupir, quand on la regarde d'ici, elle n'a pas l'air d'être tellement loin. On dit que ce... comment s'appelait-il, celui qui habitait là-bas, à l'Albergheria ? Balsamo, le comte de Cagliostro ! lui, à ce qu'on dit, il y est allé. Medina ! Tu as connu, n'est-ce pas, une parente du comte de Cagliostro ? Tu lui as parlé ?

— Oui, Excellence, j'ai fait sa connaissance. Elle s'appelle Vittorina. Sa grand-mère était la fille d'une femme qui à un baptême, fut la commère du comte de Cagliostro. Oui, Excellence, je lui ai parlé.

— Et est-ce que tu t'es fait raconter quelque chose de ce voyage dans la lune ? De quelle façon y est-il arrivé, cet homme, et qu'est-ce qu'il a vu, là-dedans ?

— Veramente, Eccellenza, su questo viaggio
che voi dite non le domandai nulla.

— Somara! Questa era la prima cosa che
dovevi domandare!

— A dire la verità, Eccellenza, io non feci nessuna domanda. Mi pareva un poco brutto,
domandare, perché certa gente dice che quel
signore antico era il diavolo. Non mi pareva
buona creanza, domandare. Fu Vittorina che,
senza domande, mi parlò di lui. Mi disse che era
un grande mago e aveva imparato il segreto per
fare l'oro.

— Io dico che colui provava gusto a perdere
tempo! Vale proprio la pena di ammattirsi sopra
una simile invenzione. Io, per me, questo segreto
di fabbricare l'oro lo lascio volentieri al Signore
Iddio, che in sette giorni ha fabbricato il cielo e la
terra, con tutte le costellazioni, e le miniere
d'oro, e per far nascere le creature gli bastava un
soffio di fiato, come per accendere delle braci. Se
uno vuole l'oro, va dal gioielliere, e lo trova là
bello e fatto, e anche lavorato magnificamente.
Invece, andare a esplorare i misteri della luna!
questa fu davvero une meraviglia! Stammi a sentire, Medina: io non vedo l'ora che sia domani.
Ho un'impazienza che mangerei i minuti.

— A vrai dire, Excellence, pour ce qui est de ce voyage dont vous parlez, je ne lui ai rien demandé.

— Bourrique, c'était la première chose qu'il fallait lui demander !

— A vrai dire, Excellence, je n'ai posé aucune question. Cela me semblait un peu mal de demander, parce qu'il y a des gens qui disent que ce monsieur d'autrefois, c'était le diable. Cela ne me semblait pas bien élevé de demander. Ce fut Vittorina qui, sans que je lui aie rien demandé, me parla de lui. Elle me dit que c'était un très grand magicien, et qu'il avait appris le secret pour faire de l'or.

— Je dis qu'il s'amusait à perdre son temps ! Cela vaut vraiment la peine de se rompre la tête sur une invention pareille ! Moi, en ce qui me concerne, ce secret de la fabrication de l'or, je l'abandonne volontiers au Seigneur Dieu, qui, en sept jours, a fabriqué le ciel et la terre, avec toutes les constellations, et les mines d'or ; et pour faire naître les créatures, il lui suffisait de souffler, comme pour allumer des braises. Si quelqu'un veut de l'or, il s'en va chez le bijoutier, et il le trouve tout fait, et même travaillé mer-veilleusement. Mais s'en aller explorer les mys-tères de la lune, voilà qui fut vraiment une chose merveilleuse ! Écoute-moi, Medina, je voudrais déjà être à demain. Je suis si impatiente que je mangerais les minutes.

Perché ho deciso che tu domani mi condurrai a
far visita a quella Vittorina, e ci faremo raccontare ogni cosa.

— Voi volete andare da lei! Scusate se mi per-
metto, ma voi vi ci trovereste male, Eccellenza.
Essa si presenta come una donnetta, ha una presenza modesta, mica si direbbe la parente di un
Conte. Abita in un vicolo stretto, dove la Vostra
macchina non potrà nemmeno entrare, in cima a
un monticello pieno di fichi d'India. Scuserete se
sono sfacciata, ma non è per voi, Eccellenza. E la
casa, dentro, pare una casa di zingari. C'è una
sedia sola, appesa al soffitto, e la gente si siede
per terra. Ma la cosa che fa piú impressione (scusate, Eccellenza) è il cattivo odore!

— Eh, che odore sarà mai! Sarà pur sempre
un odore cristiano. Ascolta bene adesso il primo
comando per te domani, Medina. Appena ti sve-
gli, tu devi andare là su quel monticello, e portare
quella Vittorina qui da me. La faremo parlare!
Ritiratevi tutte, adesso, figliuzze mie; Antoniuccia, raggiustami bene i guanciali. Noi stavamo
tutte qui a conversare, ci pareva d'esser di giorno
con questa luna, e invece il sonno è ripassato di
qua. Ah, che sbadigli faccio, mi sembra di diventare una tigre. Buona notte, andate... buona
notte. Ah, mi si chiudono gli occhi, come fa bene
dormire.

Parce que j'ai décidé que demain, tu me condui-
ras pour faire une visite à cette Vittorina, et nous
nous ferons tout raconter.

— Vous voulez aller chez elle ! Excusez ma
liberté, mais vous n'y seriez pas à votre aise,
Excellence. Elle se présente comme une femme
très simple, on ne dirait jamais qu'elle est la
parente d'un Comte. Elle habite dans une ruelle
étroite, où votre voiture ne pourrait même pas
entrer, en haut d'une petite colline couverte de
figues de barbarie. Pardonnez-moi si je suis inso-
lente, mais ce n'est pas pour vous, Excellence. Et
la maison, à l'intérieur, on dirait une maison de
bohémiens. Il n'y a qu'une seule chaise, pendue
au plafond, et les gens s'asseyent par terre. Mais
la chose qui frappe le plus (pardonnez-moi,
Excellence) c'est la mauvaise odeur !

— Eh, quelle odeur cela peut-il être ? En tout
cas, ce sera toujours une odeur de chrétien.
Écoute bien maintenant le premier ordre que je
te donne pour demain matin, Medina. Dès que
tu te réveilleras, il faut que tu ailles là-bas sur
cette colline, et que tu me conduises ici cette Vittorina. Nous la ferons parler ! Maintenant, retirez-
vous toutes, mes petites ; Antoniuccia, remets-moi
bien mes oreillers en place. Nous étions toutes ici
en train de bavarder, nous avions l'impression
d'être en plein jour avec cette lune, et pourtant
le sommeil est revenu par ici. Ah, comme je
bâille, j'ai l'impression de devenir un tigre.
Bonne nuit, allez-vous-en… bonne nuit. Ah, mes
yeux se ferment, comme c'est bon de dormir.

Un sentimento mi dice che sognerò il Conte
Cagliostro.

Questa gran dama aveva viaggiato, aveva girato
il mondo, eppure in certi momenti somigliava
alle povere barbare dei deserti che non hanno
mai veduto nulla; e se un viaggiatore mostra loro
un pezzo di vetro che brilla al sole, son tutte esta-
siate e protendono le mani per vederlo. Naturalmente, donna Amalia amava gli ori, gli argenti,
le pietre preziose, e ne possedeva tanti scrigni e
cofanetti pieni da mortificare una regina. Pure,
oltre ai gioielli veri, continuavano a piacerle quelli
falsi, che di solito posson dare soddisfazione
a una bambina ignorante o a una contadina o a
una misera serva. Ciò che l'attirava non era il
valore degli oggetti, ma piuttosto il loro effetto,
il piacere che essi le davano a guardarli e a por-
tarli. E siccome, a dire tutta la verità, essa era
rimasta sempre mezzo analfabeta e aveva conservato lo stesso gusto incolto di quando era una
povera ragazza, le cianfrusaglie d'un venditore
ambulante potevano piacerle quanto le piaceva il
tesoro del Gran Visir, ed era capace di fermarsi a
contemplare un carrettino della Fiera come se
fosse davanti a una vetrina di Parigi.

Quelque chose me dit que je vais rêver du comte Cagliostro. »

Cette grande dame avait voyagé, elle avait parcouru le monde, et pourtant, à certains moments, elle ressemblait aux pauvres femmes barbares du désert qui n'ont jamais rien vu ; et, si un voyageur leur montre un morceau de verre qui brille au soleil, elles sont toutes ravies et tendent les mains pour le voir. Naturellement, Donna Amalia aimait les objets d'or et d'argent, les pierres précieuses ; elle en possédait des quantités d'écrins et des coffrets si pleins qu'ils auraient fait honte à une reine. Pourtant, en plus des vrais bijoux, elle continuait à aimer les faux, qui d'habitude peuvent satisfaire une enfant ignorante, une paysanne ou une pauvre servante. Ce qui l'attirait, ce n'était pas la valeur des objets, mais plutôt leur effet, le plaisir qu'ils lui donnaient quand elle les voyait ou les portait. Et comme, pour dire toute la vérité, elle était toujours demeurée à demi analphabète, et qu'elle avait conservé le même goût inculte qu'elle avait alors qu'elle était une jeune fille pauvre, les colifichets d'un marchand ambulant pouvaient lui plaire tout autant que le trésor du Grand Vizir, et elle était capable de s'arrêter pour contempler une charrette de la foire comme si elle était devant une vitrine de Paris.

Quando c'erano le fiere dell'Epifania, o di qualche altra festa, essa faceva fermare l'automobile all'ingresso della piazza, nelle ore meno affollate; e piano piano, coi suoi piedini passeggiava su e giú davanti alle baracche, ai carretti; e ogni momento le si accendevano gli occhi, e voleva questo e quello. Cosí che non bastavano due servitori per caricarsi di tutti i suoi acquisti. E arrivando a casa, era tutta impaziente di riguardare i regali che s'era comperata. Appena messo piede in anticamera, li sciorinava sulla consolle di marmo, e rideva di piacere, eccitata, ansiosa, e si provava davanti allo specchio gli orecchini di vetro colorato, i bracciali di perline e le collane di nocciòle o di legno dipinto. Se poi si recava a qualche ricevimento, era capace di lasciare a casa i brillanti e di ornarsi con una collana di nocciòle o di castagne secche che, quella sera, le pareva piú bella. Essa faceva cosí per la sua ignoranza e magnificenza e spensieratezza di cuore; ma tale era il suo prestigio fra le dame della città, che, se una sera donna Amalia compariva con una collana di castagne secche, la sera dopo dieci dame, comportandosi proprio come scimmie, lasciavano a casa brillanti e smeraldi, e sfoggiavano monili di castagne secche nei teatri e nei saloni.

Au moment des foires de l'Épiphanie, ou de
quelque autre fête, elle faisait arrêter son automobile à l'entrée de la place, aux heures où il n'y
avait pas trop de monde, et, lentement, sur ses
petits pieds, elle se promenait de long en large
devant les baraques et les charrettes; à chaque
instant ses yeux s'enflammaient, et elle voulait
une chose ou une autre. Ainsi, deux serviteurs
ne suffisaient-ils pas pour se charger de tous ses
achats. Et, quand elle arrivait chez elle, elle était
tout impatiente de regarder les cadeaux qu'elle
s'était achetés. À peine entrée dans l'antichambre,
elle les étalait sur la console de marbre, et riait de
plaisir, excitée, anxieuse; elle essayait devant la
glace les boucles d'oreilles de verre coloré, les
bracelets de fausses perles, et les colliers de noisettes ou de bois peint. Et si elle se rendait
ensuite à quelque réception, elle était capable de
laisser chez elle ses diamants et de se parer d'un
collier de noisettes ou de châtaignes sèches qui,
ce soir-là, lui paraissait plus beau. Elle agissait
ainsi à cause de son ignorance, de son goût du
luxe et de l'insouciance de son cœur; mais son
prestige était tel parmi les dames de la ville que,
si, un soir, Donna Amalia apparaissait avec un
collier de châtaignes sèches, le soir suivant, dix
autres dames, se comportant exactement comme
des singes, laissaient chez elles diamants et éme-
raudes, et exhibaient des bracelets de châtaignes
sèches dans les théâtres et les salons.

Ora però succedeva che, mentre addosso a donna
Amalia le castagne secche figuravano preziose
come diamanti, addosso alle altre dame esse avevano assolutamente l'aria di castagne secche.

La vita di donna Amalia non era libera da dis-
piaceri. Infatti, lo abbiamo già detto, il cuore di
donna Amalia s'era conservato bambino; e, come
succede ai bambini, non sempre s'accontentava
di ammirare le cose che avevan l'onore di piacer-
gli, ma spesso avrebbe voluto possederle per sé,
a dispetto della ragione. E se una cosa di cui
s'era invaghito non si poteva avere assolutamente
(come per esempio l'Alhambra o i tesori dell'
Imperatore cinese), donna Amalia si struggeva e
si tormentava. Non ch'essa fosse tanto insensata
da non capire l'assurdità d'un simile tormento;
anzi, il piú delle volte lei stessa, in tali occasioni,
rideva follemente dei propri capricci. Ma, pure
ridendo, non poteva ricacciare un sentimento
amaro, di rivolta e quasi di disgusto. Le era odioso
il pensiero che (a meno di un qualche sconvolgi-
mento imprevedibile, e indipendente da lei), ella
non avrebbe potuto mai, finché era viva, passeggiare da padrona in quei bei cortili dell'Alhambra
o adornarsi dei braccialetti fantastici dell'antica
sovrana cinese. L'impossibilità la turbava e la
inquietava.

Mais il arrivait pourtant que tandis que sur
Donna Amalia, les châtaignes sèches semblaient
aussi précieuse que des diamants, sur les autres
dames, elles avaient absolument l'air de châtaignes sèches.

La vie de Donna Amalia n'était pas exempte de
chagrins. En effet, nous l'avons déjà dit, le cœur
de Donna Amalia était resté celui d'un enfant ;
et, comme cela arrive aux enfants, elle ne se
contentait pas toujours d'admirer les choses qui
avaient l'honneur de lui plaire, mais souvent elle
aurait voulu les posséder, contre toute raison.
Et si une chose dont elle s'était éprise était absolument impossible à avoir (comme par exemple
l'Alhambra ou les trésors de l'Empereur de
Chine) Donna Amalia se rongeait et se tourmentait. Ce n'était pas qu'elle fût assez insensée pour
ne pas comprendre l'absurdité d'un semblable
tourment ; au contraire, le plus souvent, en de
telles occasions, elle riait follement de ses propres
caprices. Mais, tout en riant, elle ne pouvait chas-
ser un sentiment amer de révolte et presque de
dégoût. L'idée lui était odieuse que (sauf quelque
bouleversement imprévisible, et indépendant de
sa volonté) elle ne pourrait jamais, tant qu'elle
serait vivante, être chez elle dans les beaux jardins de l'Alhambra ou se parer des bracelets fantastiques de l'antique souveraine de la Chine.
L'impossibilité la troublait et l'inquiétait.

E non aveva altra risorsa che immaginare
(o magari sognare la notte), di spingere col suo
sorriso il suo sposo don Vincente, in testa a un
manipolo di prodi, alla conquista dell'Alhambra;
ovvero di insinuarsi lei in persona nella Sala
del Tesoro, a Pechino, e, infrante le custodie,
rubare quei monili che giacevano là sacrificati,
dietro un vetro. Quindi, nasconderli in seno, e
risalire affannosa sul suo palanchino che la
condurrebbe in salvo, fuggendo, oltre la Grande
Muraglia.

Tali passeggere malinconie di donna Amalia
erano state la sola croce di don Vincente, suo
sposo. Giacché il sommo amore di questo Hidalgo
e la sua perpetua delizia, era di suscitare, di rimi-
rare e di intrattenere le felicità infantili di donna
Amalia. Noi certo non possiamo dargli torto.
C'è spettacolo piú grazioso, piú consolante della
felicità infantile? E quale maggior fortuna che il
poter accendere una tale specie di felicità nella
persona piú amata, nella propria moglie? Con
l'animosa cortesia dei Cavalieri spagnoli, quel
nobile Catalano coltivava la sua donna Amalia
come una pianta di rose; la accarezzava come
un'oziosa, appassionata gatta di Persia; le offriva
i piú degni spettacoli della terra al modo di un re
che ospita un altro re; e le recava i propri omaggi
e regali come a una santa.

Et elle n'avait d'autre ressource que d'imaginer (ou même de rêver pendant la nuit) qu'avec son sourire, elle poussait son époux, Don Vincente, à la tête d'une poignée de héros, à la conquête de l'Alhambra; ou bien qu'elle s'introduisait elle-même, en personne, dans la salle du Trésor à Pékin, et qu'après avoir brisé les écrins, elle volait ces bracelets qui gisaient là, sacrifiés, derrière une vitre. Puis, qu'elle les cachait dans son sein, et qu'elle remontait, haletante, dans son palanquin qui la conduirait en sécurité, en fuyant au-delà de la Grande Muraille.

Ces fugitifs accès de mélancolie de Donna Amalia avaient été la seule croix de Don Vincente, son époux. Car le plus grand amour de ce Hidalgo et ses délices perpétuelles étaient de susciter, de contempler et d'entretenir les joies enfantines de Donna Amalia. Quant à nous, nous ne pouvons assurément lui donner tort. Y a-t-il un spectacle plus gracieux, plus consolant que le bonheur d'un enfant? Et quelle chance plus grande que de pouvoir allumer une telle espèce de bonheur dans la personne que l'on aime le mieux, dans sa propre femme? Avec la courtoisie courageuse des chevaliers espagnols, ce noble catalan cultivait sa chère Donna Amalia comme un rosier; il la caressait comme une chatte persane, oisive et passionnée; il lui offrait les plus dignes spectacles de la terre, à la façon d'un roi qui reçoit un autre roi; et il lui apportait ses hommages et ses présents comme à une sainte.

Ora ad ogni nuova offerta la cara donna Amalia
arrossiva, rideva e palpitava come alla prima, e
cioè come il giorno che aveva ricevuto da lui
l'anello di fidanzamento (e fu questo il primo
anello d'oro da lei posseduto, giacché, fino a quel
giorno, essa era stata cosí povera che a mala pena
poteva comperarsi un anellino di ottone al festino
di Santa Rosalia).

Inutile aggiungere che Vincente sorvegliava lo
spuntare dei desideri nel cuore di Amalia come
un fanciullo che alleva un uccellino del Paradiso : ad ogni pispiglio del suo dilettissimo egli si
domanda, con la mente sospesa : « Che intenderà
chiedermi ? che gli manca ? » Ma si davano dei
casi in cui, malgrado tutta la sua volontà di vedere
Amalia contenta, Vincente non poteva dirle :
« Señora, è vuestro ! »

Questa era la croce di don Vincente ; ma da
parte sua donna Amalia, per non amareggiarlo,
cercava di nascondergli le proprie pene, allorché
era assalita da una voglia senza speranza.

Tolta questa piccola ombra, nessun marito
potrà mai dirsi fortunato come Vincente. Difatti,
è risaputo che la consuetudine alle grazie del
mondo (la quale rende presto noiosa la vita),
ancor piú dei poveri perseguita i ricchi, per i quali
sono consuete moltissime grazie che per gli altri
rimangono rare. Un marito ricchissimo, poi, è un
uomo disgraziato : perché, ad ogni giorno che
passa, diminuisce, per lui, quella che è una delle
piú dolci soddisfazioni di un marito :

Or, à chaque nouveau présent, la chère Donna Amalia rougissait, riait et palpitait comme pour le premier, c'est-à-dire comme le jour où elle avait reçu de lui sa bague de fiançailles (et ce fut le premier anneau d'or qu'elle posséda, car, jusqu'à ce jour, elle avait été si pauvre qu'elle pouvait à grand-peine s'acheter un petit anneau de cuivre pour la fête de sainte Rosalie).

Inutile d'ajouter que Vincente surveillait la naissance des désirs dans le cœur d'Amalia comme un enfant qui élève un oiseau du Paradis ; à chaque pépiement de son bien-aimé, il se demande, le cœur inquiet : « Que veut-il donc me dire ? Que lui manque-t-il ? » Mais il y avait des circonstances où, malgré toute sa volonté de voir Amalia contente, Vincente ne pouvait lui dire : « Señora, es vuestro ! »

Telle était la croix de Don Vincente ; mais de son côté, pour ne pas l'attrister, Donna Amalia cherchait à lui cacher ses propres peines, alors qu'elle était assaillie par une envie sans espoir.

Excepté cette petite ombre, aucun mari ne pourra jamais se dire aussi heureux que Vincente. En effet, il est bien connu que l'accoutumance aux joies de ce monde (qui a tôt fait de rendre la vie ennuyeuse) bien davantage que les pauvres persécute les riches, habitués à un grand nombre de joies qui restent rares pour les autres. Et puis un mari très riche est un homme infortuné, car chaque jour qui passe diminue pour lui ce qui est l'une des plus douces satisfactions d'un mari :

e cioè di rallegare e festeggiare con bei doni la
propria sposa. Una donna comune, anche se nata
povera, s'abitua presto alla ricchezza. E viene
presto il giorno che un rubino è per lei consueto,
insignificante, come un'arancia per la figlia d'un
fattore.

Ma, per fortuna nostra, donna Amalia non era
una donna comune. Ed è impossibile trovare
delle parole degne per dire quale divertimento,
quale emozione, quale perpetua celebrazione fu,
per il suo sposo, la vita a fianco di lei. Egli era
sceso per caso a Palermo circa trenta quattro
anni prima; vi aveva conosciuto donna Amalia
(la quale era allora una povera ragazza di quindici
anni) e pazzo di felicità l'aveva sposata nella
Chiesa della Martorana, con una festa nuziale
che rimase poi fra le leggende di Palermo.

Veramente, erano stati in due a volere in isposa
Amalia : don Vincente, e un suo amico, don
Miguel, ch'era venuto insieme con lui a Palermo
e aveva conosciuto Amalia insieme con lui. Tutti
e due, non appena l'avevano conosciuta, avevano
deciso : *O Amalia o la morte.* Quanto ad Amalia,
essa, per causa loro, aveva passato dei giorni disperati, durante i quali non faceva che piangere :
giacché non sapeva quale di loro due scegliere,
voleva bene a tutti e due, e non voleva fare un
torto né all'uno né all'altro. Erano entrambi giovani, entrambi simpatici, entrambi catalani.

c'est-à-dire de réjouir et de combler son épouse
de beaux cadeaux. Une femme ordinaire, même
si elle est née pauvre, s'habitue vite à la richesse.
Et le jour vient vite où un rubis est pour elle habituel, insignifiant, comme une orange pour la fille
d'un fermier.

Mais, pour notre bonne fortune, Donna Amalia n'était pas une femme ordinaire. Et il est
impossible de trouver des mots convenables pour
dire quel divertissement, quelle émotion, quelle
constante célébration fut, pour son époux, la
vie à ses côtés. Il avait fait escale par hasard à
Palerme, environ trente-quatre ans auparavant :
il y avait connu Donna Amalia (qui était alors
une pauvre jeune fille de quinze ans) et, fou de
bonheur, il l'avait épousée dans l'église de la
Martorana, au cours d'une fête nuptiale qui resta
ensuite au nombre des légendes de Palerme.

À vrai dire, ils avaient été deux à vouloir Amalia comme épouse : Don Vincente et l'un de ses
amis, Don Miguel, qui était venu avec lui à
Palerme, et avait fait la connaissance d'Amalia en
même temps que lui. Tous les deux, dès qu'ils
l'eurent connue, ils avaient décidé : *Ou Amalia ou
la mort*. Quant à Amalia, elle avait, à cause d'eux,
passé des jours désespérés, au cours desquels elle
ne faisait que pleurer : car elle ne savait lequel
des deux choisir, elle les aimait bien tous les
deux et ne voulait faire de tort ni à l'un ni à
l'autre. Ils étaient tous deux jeunes, tous deux
sympathiques, tous deux catalans.

Don Miguel era marchese, e don Vincente soltanto Cavaliere; ma in compenso don Vincente
era piú alto di don Miguel, e aveva una voce piú
melodiosa; mentre don Miguel, da parte sua,
aveva la vita piú sottile e il sorriso piú dolce. La
pena di Amalia era arrivata a un tal punto, che,
per finirla, ella s'era quasi decisa a rinchiudersi
per sempre in un convento di sepolte vive. Ma i
suoi due innamorati, per evitare un simile epi-
logo, risolvettero la questione con un duello.
Don Miguel ne uscí con una leggera ferita alla
spalla; e dopo aver abbracciato e baciato don
Vincente, se ne partí solo. Pare che, negli anni
seguenti, egli abbia viaggiato qua e là per il
mondo, senza poter dimenticare Amalia, cercando invano un'altra che le rassomigliasse. Finché si ritirò in uno dei suoi castelli in Catalogna,
e morí di malinconia. Difatti, dopo aver conosciuto Amalia, tutte le sue ricchezze gli parevano
sabbia del deserto, se non poteva goderle insieme
a lei.

Don Miguel était marquis, et Don Vincente n'était que chevalier; mais en revanche, Don Vincente était plus grand que Don Miguel, et il avait une voix plus mélodieuse; quant à Don Miguel, il avait la taille plus fine et le sourire plus doux. La peine d'Amalia en était arrivée à un tel point que pour en finir, elle s'était presque décidée à s'enfermer pour toujours dans un couvent de religieuses cloîtrées. Mais ses deux amoureux, pour éviter un semblable épilogue, résolurent la question par un duel. Don Miguel en sortit avec une légère blessure à l'épaule, et, après avoir embrassé et donné l'accolade à Don Vincente, il partit seul. Il semble qu'au cours des années suivantes, il ait voyagé çà et là à travers le monde sans pouvoir oublier Amalia, et cherchant en vain une autre femme qui lui ressemblât. Enfin il se retira dans un de ses châteaux en Catalogne, et mourut de mélancolie. En effet, après avoir connu Amalia, toutes ses richesses ne lui semblaient que sable du désert, s'il ne pouvait en jouir avec elle.

Lo scialle andaluso
Le châle andalou

Lo scialle andaluso

Fin da ragazzina, Giuditta, a causa del suo amore per il teatro e per la danza, s'era messa contro tutti i parenti: in quella buona famiglia di commercianti siciliani, la professione di danzatrice (sia pure di danze serie, *classiche*) era considerata un crimine e un disonore. Ma Giuditta, nella lotta, si condusse da eroina: studiò la danza di nascosto, e a dispetto di tutti. E appena fu abbastanza cresciuta in età, lasciò Palermo, la famiglia, le amiche, e se ne andò a Roma, dove, pochi mesi dopo, già faceva parte del Corpo di Ballo dell'Opera.

Cosí, il Teatro, che era stato sempre il suo Paradiso, l'aveva accolta! Giuditta, nel suo entusiasmo, si diceva che questo era solo il primo passo: aveva sempre pensato di essere una grande artista, destinata alla gloria, e un suo giovane corteggiatore, un musicista del Nord Italia, conosciuto all'Opera, la incoraggiò in questa convinzione. Giuditta lo sposò.

Le châle andalou

Dès son enfance, Giuditta s'était attiré l'hostilité de tous les siens à cause de son amour pour le théâtre et pour la danse : dans cette bonne famille de commerçants siciliens, la profession de danseuse (même s'il ne s'agissait que de danses sérieuses, *classiques*) était considérée comme un crime et un déshonneur. Mais Giuditta, dans la lutte, se conduisait en héroïne : elle travailla la danse en cachette, et en dépit de tous. Aussitôt que son âge le lui permit, elle quitta Palerme, sa famille, ses amies, et s'en alla à Rome où, quelques mois plus tard, elle faisait déjà partie du corps de ballet de l'Opéra.

Ainsi, le Théâtre, qui avait toujours été son paradis, l'avait accueillie ! Giuditta, dans son enthousiasme, se disait que ce n'était là qu'un premier pas : elle avait toujours pensé qu'elle était une grande artiste, destinée à la gloire, et l'un de ses jeunes admirateurs, un musicien de l'Italie du Nord qu'elle avait connu à l'Opéra, l'encouragea dans cette conviction. Giuditta l'épousa.

Egli era bello, e veniva stimato da tutti una promessa per l'arte; ma, purtroppo, tre anni dopo le
nozze la lasciò vedova con due piccoli figli gemelli :
Laura e Andrea.

Pure avversando la sua professione e il suo
matrimonio, i parenti siciliani non le avevano
rifiutato la dote. E con questo denaro, aggiunto
agli scarsi guadagni di ballerina, la vedova poteva
vivere alla meglio, insieme coi due gemelli. La sua
carriera non aveva ancora fatto nessun progresso;
ma, nell'intimità, Giuditta Campese si comportava da primadonna. La casa risplendeva dei suoi
orgogli, talenti, magnificenze : e nelle poche
stanze del suo appartamento, regnava la certezza
che lei fosse una *stella*.

Però, si venne presto a scoprire che la sua passione per il teatro, già tanto contrastata dalla sua
famiglia paterna, incontrava un nuovo avversario
là dove Giuditta non se lo sarebbe certo aspettato. Difatti, il nuovo avversario era una persona
nata e cresciuta fra gente di teatro; e chi respira
naturalmente quest'aria fin da principio, non
dovrebbe ritrovarsi con certi pregiudizi provinciali. La persona di cui si parla era il figlio di Giuditta, Andrea.

Il figlio maschio di Giuditta, da bambino, era
meno sviluppato della sua gemella nelle membra
e nella statura, ma non meno grazioso di lei.

Il était beau, et tous le considéraient comme une promesse pour l'art ; hélas ! trois ans après leurs noces, il la laissa veuve, avec deux petits jumeaux : Laura et Andrea.

Malgré leur opposition à sa profession et à son mariage, ses parents de Sicile ne lui avaient pas refusé sa dot. Grâce à cet argent, qui s'ajoutait à ses maigres cachets de danseuse, la veuve pouvait vivre tant bien que mal, avec ses deux jumeaux. Sa carrière n'avait encore fait aucun progrès ; mais, dans l'intimité, Giuditta Campese se conduisait en grande dame. Sa maison resplendissait des marques de son orgueil, de son talent, de sa magnificence : et, dans les quelques pièces que comptait son appartement, régnait la certitude qu'elle était une *étoile*.

Toutefois, l'on s'aperçut rapidement que sa passion pour le théâtre, déjà si contrariée par la famille de son père, rencontrait un nouvel adversaire, là où Giuditta ne l'aurait assurément pas attendu. De fait, le nouvel adversaire était une personne qui était née et avait grandi parmi des gens de théâtre, et un être qui respire naturellement cet air depuis toujours ne devrait point se retrouver avec certains préjugés provinciaux. La personne dont il est question était le fils de Giuditta, Andrea.

Le fils de Giuditta, dans son enfance, était moins développé que sa jumelle, moins grand et moins fort, mais non moins gracieux qu'elle.

Era bruno come lei e come sua madre, ma si distingueva da loro perché i suoi occhi (ereditati, sembra, da un'ava paterna), erano di un raro color celeste. Questi occhi celesti, di solito piuttosto rannuvolati, svelavano in pieno la loro natura luminosa soltanto quando guardavano Giuditta : bastava che Giuditta apparisse da lontano, perché gli occhi celesti accendessero tutta la loro bellezza festante. Però, fino dai suoi primissimi anni, prima ancora di aver imparato a parlare in modo comprensibile, Andrea manifestò chiaramente un odio smisurato per la professione di sua madre.

Fuori del suo lavoro, la vedova conduceva vita ritirata. E quando non aveva da recarsi in teatro, per lo piú passava le sue serate in casa, sola e tranquilla. In tali sere, Andrea (il quale, insieme con la sua gemella, si coricava ogni giorno prima del tramonto), si addormentava subito placidamente accanto a Laura, e dormiva tutto un sonno fino al mattino. Ma nelle serate di prove, o di spettacolo, mentre Laura, secondo il solito, dormiva come un angelo, il sospettoso Andrea perdeva la pace. Benché nessuno glielo avesse detto, il suo cuore lo aveva avvertito misteriosamente che sua madre doveva uscire di casa. Allora, Andrea si addormentava con fatica, di un sonno capriccioso e incerto : per risvegliarsi di soprassalto, come al suono d'un campanello, nel momento stesso che Giuditta si ritirava nella propria camera per vestirsi. Sceso dal letto, a piedi nudi egli correva alla camera di sua madre;

Brun comme Laura et comme sa mère, il se distinguait d'elles parce que ses yeux (qu'il tenait, semble-t-il, d'une aïeule paternelle) étaient d'un bleu rare. Ces yeux bleus, d'habitude un peu sombres, ne révélaient pleinement leur nature lumineuse que lorsqu'ils regardaient Giuditta : il suffisait que Giuditta apparût de loin pour que les yeux bleus fissent briller toute leur beauté joyeuse. Cependant, dès ses toutes premières années, avant même d'avoir appris à parler de façon intelligible, Andrea manifesta clairement une haine démesurée pour la profession de sa mère.

En dehors de son travail, la veuve menait une vie retirée. Et lorsqu'elle n'avait pas à se rendre au théâtre, elle passait le plus souvent ses soirées chez elle, seule et tranquille. Ces soirs-là, Andrea (qui, avec sa sœur, se couchait chaque soir avant le crépuscule) s'endormait aussitôt, calmement, auprès de Laura, et dormait d'une traite jusqu'au matin suivant. Mais, les soirs de répétition ou de spectacle, alors que Laura, suivant son habitude, dormait comme un ange, le soupçonneux Andrea perdait sa paix. Bien que personne ne le lui eût dit, son cœur l'avait mystérieusement averti que sa mère devait sortir. Andrea s'endormait alors avec peine, d'un sommeil capricieux et fragile, et il se réveillait en sursaut, comme à la sonnerie d'une cloche, au moment même où Giuditta se retirait dans sa chambre pour s'habiller. Après être sorti de son lit, il courait, les pieds nus, jusqu'à la chambre de sa mère ;

e simile a un povero pellegrino si fermava là, dietro quell'uscio chiuso, a piangere sommessamente.

Il dramma, incominciato cosí, poteva avere svolgimenti diversi. Certe volte, Andrea rimaneva là, a piangere, quasi in segreto, per tutto il tempo che sua madre si vestiva; ma nel momento stesso che, pronta per uscire, essa apriva l'uscio, lui correndo a precipizio ritornava a letto, a nascondere il pianto sotto il lenzuolo. Giuditta non voleva mostrargli pietà; e per lo piú se ne andava dritta e impassibile, fingendo di non aver udito quel pianto, né la corsa di quei piedi nudi. Qualche rara volta, però, a suo proprio dispetto, aveva troppa pietà di lui e gli correva dietro, cercando con molte gentilezze di consolarlo. Ma lui si chiudeva gli occhi coi pugni, ricacciando i singhiozzi, e rifiutava ogni falsa consolazione. La sola consolazione vera, per lui, sarebbe stata che Giuditta rimanesse in casa, invece di andare a teatro; ma bisognava esser pazzi per chiedere una cosa simile alla danzatrice!

L'audacia di Andrea, certe sere, arrivava fino a una simile pazzia! Dopo aver pianto un poco, secondo il solito, dietro l'uscio di sua madre che si vestiva, d'un tratto egli si scatenava e incominciava a tempestare l'uscio coi pugni. Oppure, frenando le lagrime, aspettava con pazienza che sua madre fosse pronta;

et, semblable à un pauvre pèlerin, il s'arrêtait là, derrière cette porte close, en pleurant doucement.

Le drame, qui commençait ainsi, pouvait évoluer de plusieurs façons différentes. Parfois Andrea restait là, et pleurait, comme en secret, pendant tout le temps que sa mère s'habillait ; mais au moment même où, prête à partir, elle ouvrait sa porte, il retournait à toutes jambes dans son lit, pour cacher ses larmes sous ses draps. Giuditta ne voulait pas lui montrer de pitié, et, le plus souvent elle s'en allait, droite et impassible, en feignant de n'avoir pas entendu ces pleurs, ni la course de ces pieds nus. Mais, quelques rares fois et bien contre son gré, elle avait trop pitié de lui et courait derrière lui, en cherchant à le consoler avec mille tendresses. Mais il serrait ses poings devant ses yeux en étouffant ses sanglots, et il refusait toute fausse consolation. La seule véritable consolation pour lui aurait été que Giuditta restât à la maison, au lieu de s'en aller au théâtre ; mais il fallait être fou pour demander une chose semblable à la danseuse !

L'audace d'Andrea, certains soirs, arrivait jusqu'à cette folie. Après avoir un peu pleuré, suivant son habitude, derrière la porte de sa mère qui s'habillait, il se déchaînait tout à coup, et commençait à marteler la porte de coups de poing. Ou bien, refrénant ses larmes, il attendait avec patience que sa mère fût prête ;

e quando infine la vedeva apparire (con la sua andatura da leonessa, il suo piccolo e orgoglioso cappello, e la veletta nera sul volto bianco, senza belletti né cipria), le si aggrappava alle vesti, le abbracciava i ginocchi, e la implorava con accenti disperati di non andare a teatro, almeno stasera, di rimanere a fargli compagnia! Lei lo accarezzava, lo lusingava, e cercava inutilmente di confortarlo all'inevitabile; finché, spazientita, con brutalità si liberava di lui, e spariva, sbattendo la porta. E Andrea si abbandonava sul pavimento dell'anticamera, e rimaneva lí, a gemere, come un infelice gattino lasciato nella canestra mentre la gatta, spensierata, se ne va a spasso.

Giuditta aveva sperato che tutto ciò fosse un capriccio infantile, il quale guarirebbe con l'età. Invece, gli anni passavano e il capriccio di Andrea cresceva con lui. La sua avverzione per il teatro, passione eterna di sua madre, si dichiarava in tutte le occasioni e si sviluppava nel suo giudizio come una inimicizia irrimediabile. Naturalmente, Andrea non si umiliava piú a supplicare e a piangere come al tempo che aveva tre o quattr'anni di età; se ne guardava bene, ma il suo odio, privato di quegli sfoghi puerili, diventava ancora piú feroce.

Senza questo suo capriccio ostinato, Andrea non sarebbe stato affatto un figlio cattivo. Non mentiva mai, era bravo nello studio;

et lorsque, à la fin, il la voyait apparaître (avec sa démarche de lionne, et un petit chapeau orgueilleux, avec une voilette noire sur son visage clair, sans fard ni poudre) il s'accrochait à ses vêtements, lui embrassait les genoux et la suppliait avec des accents désespérés de ne pas aller au théâtre, au moins ce soir, de rester lui tenir compagnie ! Elle le caressait, le câlinait, et tentait inutilement de l'encourager à l'inévitable ; jusqu'au moment où, impatientée, elle se dégageait avec brutalité, et disparaissait en claquant la porte. Et Andrea se laissait tomber sur le carrelage de l'antichambre, et restait là, gémissant, comme un pauvre petit chat abandonné dans son panier, tandis que la chatte, insouciante, s'en va se promener.

Giuditta avait espéré que tout cela ne serait qu'un caprice d'enfant, qui guérirait avec l'âge. Mais les années passaient, et le caprice d'Andrea grandissait avec lui. Son aversion pour le théâtre, éternelle passion de sa mère, se déclarait à chaque occasion, et se développait dans son jugement comme une hostilité irrémédiable. Naturellement, Andrea ne s'abaissait plus à supplier et à pleurer, comme au temps où il avait trois ou quatre ans ; il s'en gardait bien, mais sa haine, privée de ces épanchements puérils, devenait plus féroce encore.

Sans ce caprice obstiné, Andrea n'aurait nullement été un méchant enfant. Il ne mentait jamais ; il travaillait bien ;

ed era estremamente affettuoso con sua madre, che seguiva per tutte le stanze, ricercandone ogni momento l'attenzione con espansioni turbolente e carezzevoli : tanto che, non di rado, se era presa da altre occupazioni o da altri pensieri, Giuditta doveva respingerlo come un importuno. Quando succedeva (non troppo spesso, veramente) che Giuditta lo conducesse a passeggio, nemmeno il re, uscito in carrozza con la regina, avrebbe potuto mostrarsi piú glorioso e premuroso di lui; e i suoi occhi splendevano di luce piena dal principio alla fine della passeggiata. Le poche sere che Giuditta non usciva di casa, e rimaneva in famiglia, lui, che per solito era pallido, si colorava in volto come un fiore. Diventava d'umore spensierato e ange-lico, faceva prodezze, si vantava. Rideva sfrenata-mente ad ogni piccola avventura casalinga (per esempio, se il gatto dava la caccia a una tignola, o se Giuditta non riusciva a rompere una noce); e raccontava con drammaticità le trame del *Corsaro Nero*, di *Sandokan alla riscossa*, dei *Pirati della Malesia*, e di altri simili romanzi di capitani e di bucanieri, che erano la sua passione. Ogni tanto, abbracciava sua madre come se volesse incate-narla; si mostrava pieno di compiacenza per Laura; e ascoltava con gravità e modestia le loro conversazioni di donne.

1 Elsa Morante, photographie de Franco Fedeli.

« Elle est l'éclat suprême des fêtes nocturnes, son nom mystérieux
est l'honneur des rues et des places. »

2   Affiche de variétés, Milan, vers 1920.

« Il semblait, disaient-ils, avide du pain des anges… »

3   Une bonne première communion, image pieuse, vers 1870.

« Les trois enfants haïssaient le village ; quand ils sortaient en file,
avec leur unique domestique, en rasant les murs, ils avaient des
regards obliques et méprisants. Les enfants du pays se vengeaient
en se moquant d'eux, et en faisant naître en eux une sombre
terreur. »

4

5

6

4   Jeunes garçons sur les marches du Palazzo della Civiltà e del Lavoro. quartier de l'E.U.R, Rome, années 60, photo Herbert List.

5   Jeux d'enfants, Leonforte, Sicile, photo René Burri (*détail*).

6   Cortège d'écoliers, Italie, photo René Burri (détail).

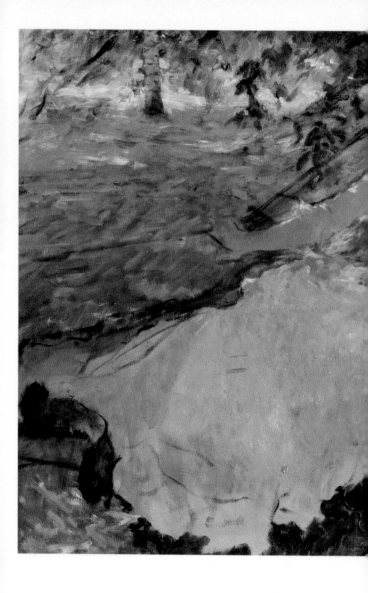

« Les rares soirées où Giuditta ne sortait pas et restait en famille, le visage d'Andrea, pâle d'habitude, se colorait comme une fleur. Il devenait d'une humeur insouciante et angélique, faisait des prouesses, se vantait. »

7   *Dans le hamac II*, peinture de Giuseppe De Nittis, 1884, Museo Civico, Barletta.

8

9

10

« Depuis presque trois siècles, un palais se dressait sur le côté opposé, en face de la mairie. C'était une demeure noble en ruine, jadis pompeuse, mais désormais dégradée et lugubre. Sa façade chargée d'ornements, que le temps avait rendue grise, laissait voir les marques de sa décrépitude. »

8   Chapelle de San Lorenzo, de Guarini, Turin, photo Martine Franck.

9   Façade du Palazzo Reale, Naples, photo Leonard Freed.

10   Architecture baroque, Rome, photo Henri Cartier-Bresson.

11

« Ces êtres parlaient un langage ailé, qui savait atteindre les
sommets et les gouffres, doux pour l'amour, féroce dans la colère,
et ils vivaient des aventures et des songes sur lesquels l'enfant rêvait
longuement. »

11   Affiche pour une pièce de théâtre de boulevard, vers 1895.

12   Rôle de Rodrigue, héros du *Cid* de Corneille, vers 1820.

13 et 14   Costumes de Chimène et d'un personnage de théâtre de
vaudeville, vers 1850.

12

13

14

15

15 San Remo, photo Henri Cartier-Bresson.

16 Naples, photo Ferdinando Scianna.

17 A la fenêtre, Italie, photo Enzo Sellerio.

« Les sentiments, les pensées de Donna Amalia, étaient toujours en mouvement, toujours ardents; et ils ne s'apaisaient pas même dans le sommeil, car son repos était un tel spectacle de songes, qu'à les raconter, on les aurait pris pour Les Mille et Une Nuits. »

16

17

18

19

18 et 19   Dessins de Elsa Morante accompagnant l'édition origi-
nale de *Le Straordinarie avventure di Caterina*, Giulio Einaudi Editore,
1959.

« Tu es l'oiselle de mer, qui a bâti son nid
sur les rochers sombres, parmi les sables noirs. »

20   Jeune fille dans une cour d'immeuble, Rome, 1959, photo
Henri Cartier-Bresson.

et il était extrêmement affectueux avec sa mère, qu'il suivait dans toutes les pièces de la maison, et dont il recherchait à tout instant l'attention avec des manifestations turbulentes et caressantes : à tel point que, souvent, si elle était prise par d'autres occupations ou d'autres pensées, Giuditta devait le repousser comme un importun. Lorsqu'il arrivait (ce n'était pas très souvent, à vrai dire) que Giuditta le conduisît à la promenade, le roi lui-même, sorti en carrosse avec la reine n'aurait pu se montrer plus glorieux ni plus attentionné que lui ; et ses yeux brillaient d'une lumière intense, du début à la fin de la promenade. Les rares soirées où Giuditta ne sortait pas et restait en famille, le visage d'Andrea, pâle d'habitude, se colorait comme une fleur. Il devenait d'une humeur insouciante et angélique, faisait des prouesses, se vantait. Il riait aux larmes pour les moindres faits de la maison (par exemple, si le chat pourchassait une mite, ou si Giuditta ne réussissait pas à casser une noix) ; et il racontait sur un ton dramatique la trame du *Corsaire Noir*, de *Sandokan à la rescousse*, de *Pirates de Malaisie*[1] et d'autres semblables romans de capitaines et de boucaniers, qui étaient sa passion. De temps en temps, il serrait sa mère dans ses bras comme s'il avait voulu l'enchaîner ; il se montrait plein de prévenances pour Laura ; et il écoutait avec gravité et modestie leurs conversations de femmes.

---

1. Il s'agit des romans d'aventures d'Emilio Salgari, dont le succès fut durable et intense.

Ma se veniva menzionato il teatro, o la danza, o
l'Opera, i suoi occhi s'oscuravano, la sua fronte
s'increspava, e la famiglia doveva assistere a una
metamorfosi straordinaria. Come se un colombo,
o un galletto, si trasformasse d'improvviso in un
gufo.

In certi pomeriggi di grandissima festa, la sorella
Laura usciva di casa esultante per assistere a
qualche spettacolo diurno all'Opera, dove spesso,
al seguito di sua madre, veniva perfino ammessa
nel retroscena e nei camerini! Rientrando in casa
(dove Andrea, escluso volontario, aveva passato
il pomeriggio tutto solo), essa pareva una pazza,
tanto era esaltata; ma di fronte agli sguardi terri-
bili del fratello, doveva soffocare, alla prima
parola, ogni tentazione di fare racconti. E questo
silenzio le costava una fatica tanto innaturale, che
poi, durante la notte, essa parlava in sogno.

Andrea rifiutò sempre di metter piede in un teatro. La semplice proposta di visitare simile luogo,
a cui doveva tante sere di pena e tante lagrime, lo
faceva impallidire di rivolta.

In piú d'una occasione avvenne che Giuditta
portò dall'Opera qualcuno dei suoi costumi di
ballerina, e lo indossò in casa, per farsi vedere.
Un giorno, si vestí da zingara, con gonna scarlatta,
il petto seminudo, e bracciali e collane di monete
d'oro.

Mais si l'on faisait allusion au théâtre, ou à la danse, ou à l'Opéra, ses yeux s'assombrissaient, son front se plissait, et la famille devait assister à une métamorphose extraordinaire. Comme si un pigeon ou un poulet se transformait soudain en hibou.

Certains après-midi de grande fête, sa sœur Laura sortait de la maison, ivre de joie, pour assister à quelque spectacle de matinée à l'Opéra, où, à la suite de sa mère, on l'admettait souvent jusque dans les coulisses et dans les loges. Quand elle rentrait à la maison (où Andrea, qui s'était volontairement exclu de la fête, avait passé l'après-midi tout seul), elle semblait une folle, tant elle était excitée ; mais, devant les regards terribles de son frère, elle devait étouffer, au premier mot, toutes les tentations de lui en faire le récit. Et ce silence lui coûtait une fatigue si peu naturelle, que, par la suite, au cours de la nuit, elle parlait en dormant.

Andrea refusa toujours de mettre les pieds dans un théâtre. La simple proposition de visiter un tel endroit, auquel il devait tant de soirées de peine et tant de larmes, le faisait pâlir de révolte.

À plus d'une occasion, Giuditta apporta de l'Opéra l'un ou l'autre de ses costumes de danseuse, et elle le revêtit chez elle, pour se faire admirer. Un jour, elle se costuma en bohémienne, avec une jupe écarlate, la poitrine à moitié nue, et des bracelets et des colliers de pièces d'or.

Un altro giorno, si vestí da cigno, con bustino coperto di brillanti, calze di seta bianchissima, e tutú di piume. Un'altra volta si vestí da Nereide, con una corta guaína di scaglie cangianti, e per manto una rete da pesca. Un'altra volta ancora si vestí da *Spirito della Notte,* e una volta da *pastorella orientale.*

Il suo corpo s'era un poco appesantito, dal tempo ch'era ragazza; ma era una bella donna con la sua espressione risentita, i suoi occhi morati, e la carnagione bianca da spagnola. Oltre a sua figlia Laura, veniva a rimirarla, in camera, la domestica a mezzo servizio a cui s'aggiungeva la portinaia del caseggiato. Si può dire che questo fosse l'unico pubblico di ammiratori concesso, finora, a Giuditta: difatti, la sua carriera teatrale, in realtà, non aveva fatto nessun passo avanti. Giuditta Campese, ancora oggi, non era nulla di piú di quel che era stata il primo giorno della sua assunzione all'Opera: un'anonima ballerina di fila del Corpo di Ballo. Ma agli occhi estatici del suo pubblico familiare, ella era, senza dubbio, una grande stella del Teatro.

Dopo aver fatto ammirare il proprio costume, si esibiva in una danza, suscitando applausi entusiasti. A questo punto, un passo infantile, in corsa veloce, attraversava il corridoio, e, quasi furtivo, sulla soglia della camera appariva Andrea.

Un autre jour, elle s'habilla en cygne, avec un corsage couvert de brillants, des bas de soie très
blanche, et un tutu de plumes. Une autre fois,
elle se mit en Néreide, avec une courte gaine
d'écailles changeantes, et un filet de pêche en
guise de manteau. Une autre fois encore, elle
s'habilla en *Esprit de la Nuit*, et une fois en *bergère
orientale*.

Son corps s'était un peu alourdi, depuis le
temps où elle n'était qu'une jeune fille; mais
c'était une belle femme avec son expression
sévère, ses yeux d'un noir de mûre et son teint
blanc d'Espagnole. En plus de sa fille Laura, elle
se faisait admirer, dans sa chambre, par la domestique qu'elle employait à mi-temps, ainsi que par
la concierge de l'immeuble. On peut dire qu'il
s'agissait là de l'unique public d'admirateurs qui
eût été jusqu'alors accordé à Giuditta : de fait, sa
carrière théâtrale n'avait, en réalité, fait aucun
progrès. Giuditta Campese, à ce moment encore,
n'était rien de plus que ce qu'elle avait été, le jour
de son engagement à l'Opéra : une anonyme danseuse du corps de ballet. Mais, aux yeux extatiques
de son public familial, elle était, sans l'ombre d'un
doute, une grande étoile du Théâtre.

Après avoir fait admirer son costume, elle se
produisait dans une danse, et suscitait des applau-
dissements enthousiastes. À ce moment, un pas
enfantin, dans une course rapide, traversait le
couloir, et Andrea, presque furtivement, apparaissait sur le seuil de la chambre.

Alla vista di Giuditta, i suoi occhi spalancati si empivano di fulgida ingenua dedizione; ma, dopo un istante, egli ritorceva il viso da lei. E, fatte lampeggiare sul pubblico le pupille ostili, si ritraeva nell'angolo fra il corridoio e l'uscio, come uno che deve assistere, senza poterlo impedire, al furto della sua proprietà.

Coriste, ballerini e altri simili personaggi che talora frequentavano la casa, erano peggio che bestie feroci, per lui. Durante le loro visite, per solito andava a confinarsi in fondo all'appartamento, dentro uno sgabuzzino polveroso che riceveva a mala pena la luce da una finestruola. Ma se Giuditta coi suoi compagni, là in salotto, provava qualche scena o figura di danza, nemmeno in questo carcere Andrea riusciva a difendersi dai suoi mostri. Sebbene egli si sforzasse di non ascoltare, il suo udito, facendosi molto più sottile del solito, penetrava attraverso gli usci, e raccoglieva le note del grammofono, le voci straniere, i battiti numerati delle mani, i tonfi dei salti, i passi strisciati, i soffi delle giravolte! L'incarcerato era conteso fra l'ira, l'invidia, e la tentazione di scendere fino in fondo al proprio supplizio assistendo a quell'odiato spettacolo.

En voyant Giuditta, ses yeux écarquillés se remplissaient d'une admiration rayonnante et ingénue; mais, après un instant, il détournait son visage de sa mère. Et, ayant fait étinceler sur le public son regard hostile, il se reculait dans le coin, entre le couloir et la porte, comme quelqu'un qui doit assister, sans pouvoir l'empêcher, au pillage de sa propriété.

Les choristes, les danseurs et d'autres personnages du même genre qui fréquentaient parfois la maison étaient pires que des bêtes féroces, à ses yeux. Pendant leurs visites, il s'en allait d'habitude se terrer au fond de l'appartement, dans un cagibi poussiéreux qui recevait à grand-peine la lumière d'un vasistas. Mais si Giuditta et ses compagnons, de l'autre côté, dans le salon, répétaient quelque scène ou quelque pas de danse, même du fond de cette prison, Andrea ne parvenait pas à se défendre de ses monstres. Bien qu'il s'efforçât de ne pas écouter, son ouïe, qui se faisait beaucoup plus fine que d'habitude, pénétrait à travers les portes et recueillait les notes du phonographe, les voix étrangères, les battements rythmés des mains, le bruit des sauts, les pas glissés, le souffle des pirouettes! Le prisonnier était partagé entre la colère, l'envie et la tentation de descendre jusqu'au fond de son propre supplice en assistant à ce spectacle détesté.

Si poteva credere che una spia avesse denunciato, di là, questa sua tentazione : ecco un araldo, la sorella Laura, che arrivava tutta ansante al suo uscio sbarrato per invitarlo in salotto da parte della madre, magnificando le prodezze dei ballerini. Con insulti e minacce Andrea metteva in fuga l'araldo; ma il peso di tante prove gli diventava troppo amaro. E un istante dopo, lo si sentiva chiamare sua madre a gran voce, con estrema autorità.

Esaltata e raddolcita dalle sue care danze, Giuditta accorreva. Chiamava per nome il figlio : nessuna risposta. Lo richiamava due, tre volte : e finalmente l'uscio si apriva. La ballerina entrava con passione, e ridendo di quell'orrida clausura abbracciava il triste recluso, lo baciava sui capelli e in fronte : — Sei freddo, bellezze sante, cuore degli occhi miei! Questo figlio è pazzo! Che colpa facesti tu che vuoi incarcerarti, con tante belle stanze che hai! La madre tua non t'ha mica fatto per tenerti in mezzo ai bauli e ai ragni! Con quella bella saletta che hai, col balconcino! E la musica del grammofono, e tanti bravi artisti, che mi domandano tutti di te! Penseranno che Andreuccio mio sia gobbo o storpio, che non si lascia mai vedere! Andiamo, facciamo vedere a tutti che bel figlio maschio ha la Campese! Perché fai questa faccia amara?

L'on aurait pu croire qu'un espion avait dénoncé, de l'autre côté, la tentation qu'il éprouvait : et voici qu'un messager — sa sœur Laura — arrivait tout essoufflé devant sa porte barricadée pour l'inviter au salon de la part de sa mère, tout en faisant l'éloge des prouesses des danseurs. Avec des insultes et des menaces, Andrea mettait le messager en fuite, mais le poids de toutes ces épreuves lui devenait trop amer. Et, un instant plus tard, on l'entendait appeler sa mère à tue-tête, sur un ton d'extrême autorité.

Exaltée et apaisée par ses chères danses, Giuditta accourait. Elle appelait son fils par son prénom : aucune réponse. Elle l'appelait à nouveau, deux, trois fois : et, finalement, la porte s'ouvrait. La danseuse entrait avec passion, et, riant de cette horrible clôture, elle serrait dans ses bras le triste reclus, l'embrassait sur les cheveux et sur le front : « Tu es tout froid : beautés saintes, cœur de mes yeux ! Cet enfant est fou ! Quelles fautes as-tu donc faites, pour vouloir t'emprisonner, avec toutes les belles pièces que tu as ici ! Ta mère ne t'a pas mis au monde pour te garder au milieu des malles et des araignées ! Avec ta jolie petite chambre, avec ton petit balcon ! Et la musique du phonographe, et tous ces artistes qui me demandent de tes nouvelles ! Ils vont penser que mon petit Andreuccio est bossu ou estropié, pour ne jamais vouloir se laisser voir ! Allons, nous allons montrer à tout le monde comme la Campese a un beau garçon ! Pourquoi fais-tu cette tête amère ?

Nemmeno se di là ci fosse in visita Nerone! Son tutti amici, colleghi di lavoro, signori e signore cosí belli che fanno faville, e la gente paga il biglietto per guardarli! E adesso son venuti qui a danzare per Lauretta et per Andrea! Poi ci sono anche le paste, c'è il marsala, e vogliamo brindare tutti al padrone di casa, a te! Su, ci faccia questa grazia, mio bel lanciere, venga a danzare insieme a noi!

E, con un passo proprio di danza, Giuditta, preso Andrea per la mano, lo traeva con sé nel corridoio. Ma, giunto appena sul corridoio in fondo al quale, per un uscio lasciato semiaperto, s'intravvedeva il movimento del salotto, risonante di vocío, Andrea, come se avesse scorto la bocca dell'inferno, si svincolava da sua madre, per rinserrarsi di nuovo nella sua prigione. Di qua, gridava alla madre, fuori: — Va' via! Vattene! Torna da quella gentaccia! — Ma, ritrovandosi solo, piangeva.

Cosí, Andrea pagava i propri odii infliggendo tormenti a se stesso. Si conserva memoria, però, di qualche caso, in cui la sua violenza si sfogò in altri modi. Un giorno, per esempio, egli rivoltò con la faccia contre il muro, come tante anime in punizione, le fotografie in cornice che ornavano le mensole del salotto.

Ce ne serait pas pire si Néron lui-même était venu en visite ! Ce sont tous des amis, des collègues de travail, des messieurs et des dames si beaux qu'ils font des étincelles, et les gens paient leur billet pour aller les voir ! Et maintenant, ils sont venus ici, danser pour Lauretta et pour Andrea ! Puis il y a des gâteaux, il y a du marsala, et nous voulons tous boire à la santé du maître de maison, à ta santé ! Allons, faites-nous cette grâce, mon beau lancier, venez danser avec nous ! »

Et, avec de vrais pas de danse, Giuditta, après avoir pris Andrea par la main, l'entraînait avec elle. Mais à peine se trouvait-il dans le couloir au bout duquel, à travers une porte restée entrouverte, l'on devinait le mouvement du salon qui résonnait d'un bruit de voix, qu'Andrea, comme s'il avait aperçu la bouche de l'enfer, se dégageait des mains de sa mère, pour s'enfermer à nouveau dans sa prison. De là, il criait à sa mère, restée au-dehors : « Va-t'en ! Pars ! Retourne avec ces vilaines gens ! » Mais lorsqu'il se retrouvait seul, il pleurait.

Ainsi Andrea payait-il ses propres haines en s'infligeant des tourments à lui-même. On conserve cependant le souvenir de quelques épisodes où sa violence éclata d'une autre façon. Un jour, par exemple, il retourna, avec le visage contre le mur, comme autant d'âmes en peine, les photographies encadrées qui ornaient les étagères du salon.

Erano direttori d'orchestra, coreografi, primi ballerini, e altre celebrità : tutte fotografie carissime a sua madre, soprattutto per le dediche, intestate a lei, Giuditta Campese, con nome e cognome.

E un giorno che un amatore di ballerine aveva mandato a Giuditta, in omaggio, un mazzo di rose, Andrea aspettò ch'ella fosse uscita di casa per le consuete prove in teatro ; e d'un tratto, sotto gli occhi sbigottiti di sua sorella Laura, si dette a rompere e a straziare quelle rose, con una collera selvaggia. Poi le gettò in terra et le calpestò. In tale occasione, Giuditta arrivò a chiamarlo delinquente e assassino.

Fra queste pene, passava l'infanzia di Andrea Campese.

Verso i dieci anni, dovendo prepararsi a ricevere la Cresima e la prima Comunione, Laura e Andrea trascorsero due settimane rinchiusi : lei in un istituto di suore, e lui in un convento di padri salesiani. Prima di questa occasione, la loro istruzione religiosa era stata assai trascurata ; e la vita pia del convento fu un'esperienza nuovissima per i due gemelli. Nell'esistenza di Laura, una tale esperienza, e gli insegnamenti della fede, non lasciarono, poi, che una traccia leggera ; ma nell' esistenza di Andrea, tutto cambiò. Subito, appena lo rivide alla fine della clausura, il giorno della cerimonia, Giuditta si accorse che suo figlio non era piú lo stesso.

C'était des chefs d'orchestre, des chorégraphes, des premiers danseurs, et d'autres célébrités : et toutes ces photographies étaient très chères à sa mère, surtout à cause de leurs dédicaces, qui lui étaient adressées à elle, Giuditta Campese, avec son prénom et son nom.

Et un jour qu'un amateur de danseuses avait envoyé un bouquet de roses en hommage à Giuditta, Andrea attendit qu'elle sortît de la maison pour se rendre à ses répétitions habituelles au théâtre ; et soudain, sous les yeux effrayés de sa sœur Laura, il se mit à briser et à saccager ces roses, avec une colère sauvage. Puis il les jeta à terre et les piétina. À cette occasion, Giuditta en arriva à le traiter de criminel et d'assassin.

C'est au milieu de ces peines que se passait l'enfance d'Andrea Campese.

Vers l'âge de dix ans, comme ils devaient se préparer à recevoir la première communion et la confirmation, Laura et Andrea passèrent deux semaines en retraite : elle dans un couvent de religieuses, et lui dans un institut de Pères salésiens. Avant cette occasion, leur éducation religieuse avait été passablement négligée et la vie pieuse du couvent fut une expérience très nouvelle pour les deux jumeaux. Dans l'existence de Laura, cette expérience et les enseignements de la foi ne laissèrent par la suite qu'une trace légère ; mais dans la vie d'Andrea, tout changea. Tout de suite, dès qu'elle le revit à la fin de la retraite, Giuditta s'aperçut que son fils n'était plus le même.

Invece di slanciarlesi incontro con passione, com'era da aspettarsi dopo una separazione cosí lunga, Andrea ricevette il suo bacio con un'aria di riserbo quasi severo. La prima ruga, quella della meditazione, segnava la sua fronte, dandogli una espressione grave che contrastava coi suoi tratti infantili e con la sua persona rimasta perfino troppo piccola per la sua età. Ed egli rispose con ritrosia e quasi con un poco d'impazienza alle molte domande di sua madre.

I sacerdoti che l'avevano istruito, e che lo guardavano con grande compiacimento, dissero a Giuditta che durante quel breve corso di religione egli era stato l'alunno piú attento e fervido di tutti, e aveva mostrato per le cose celesti un interesse raro, e superiore ai suoi anni. Sembrava, dissero, avide del pane degli angeli, come se, fino alla prova presente, gli fosse mancato il suo alimento naturale.

Un breve segno di frivolezza mondana riapparve in lui quando fu l'ora d'indossare l'abito nuovo, portatogli da sua madre per la cerimonia : che era di saglia turchino scuro, con bavero di velluto. Andrea era stato sempre piuttosto ambizioso riguardo ai vestiti, e non nascose il suo piacere;

Au lieu de s'élancer passionnément à sa rencontre, comme on aurait pu s'y attendre après une séparation aussi longue, Andrea reçut son baiser avec un air de réserve presque sévère. Une première ride, celle de la méditation, barrait son front, lui donnant une expression grave qui contrastait avec ses traits enfantins et avec toute sa nature, restée presque trop menue pour son âge. Et il répondit de mauvaise grâce, et presque avec un peu d'impatience, aux nombreuses questions de sa mère.

Les prêtres qui l'avaient instruit, et qui le regardaient avec une grande satisfaction, dirent à Giuditta que pendant ce bref cours de religion, il avait été l'élève le plus attentif et le plus fervent de tous, et qu'il avait montré pour les choses célestes un intérêt rare, au-dessus de son âge. Il semblait, disaient-ils, avide du pain des anges, comme si, jusqu'à la présente circonstance, son aliment naturel lui avait fait défaut.

Une trace passagère de frivolité mondaine reparut en lui, lorsque vint l'heure de mettre son nouvel habit, qui lui avait été apporté par sa mère pour la cérémonie et qui était de serge bleu foncé, avec un collet de velours. Andrea avait toujours été assez exigeant en ce qui concernait ses vêtements, et il ne dissimula pas son plaisir ;

e al trovare, poi, nel taschino della giacca, un
fischietto d'argento appeso a un cordoncino di seta
(ch'era il tocco supremo dell'eleganza, secondo
certe sartorie francesi per bambini), dichiarò,
con un sorriso di soddisfazione, che portare un
fischietto come quello era un'usanza propria dei
Comandanti e dei Pirati. Si ritenne però, vin-
cendo forse una sua tentazione, dal provare il
suono del bellicoso strumento. E, passato
quell'unico momento di leggerezza, dopo, per
tutta la cerimonia della Cresima, apparve cosí
intento ed estatico che perfino il vescovo lo notò
fra gli altri e accarezzandolo gli disse : — Ah, che
bravo e bel soldatino della chiesa ! — Venuto, per
lui, il momento di ricevere l'Eucarestia i suoi
occhi levati verso il calice splendettero d'una tale
innocenza e gloria che sua madre, al vederlo,
ruppe in pianto ; ma Andrea non parve udire i
suoi singhiozzi. Ricevuta l'Ostia, chiuse gli occhi,
e parve allora che nella cappella si fosse spenta una
luce. Quindi rimase per parecchi minuti raccolto,
in ginocchio, col viso fra le mani ; e Giuditta, guar-
dando la sua testa china dai capelli ben pettinati
e lisciati per l'occasione, si diceva : « Chi sa che
grandi pensieri passano, in questo momento
stesso, nella mente di quell'angelo ! » I begli occhi
riapparvero in fine, ma, per tutto il tempo che
durò la Messa, rimasero rapiti a fissare le lumina-
rie dell'altare. « *Neppure uno sguardo per sua
madre* », pensò Giuditta.

puis, lorsqu'il trouva dans la pochette de la veste un sifflet d'argent attaché à un cordon de soie (c'était la note suprême de l'élégance, selon certains couturiers français pour enfants), il déclara, avec un sourire de satisfaction que porter un sifflet comme celui-ci était un usage réservé aux Commandants et aux Pirates. Mais, triomphant peut-être d'une tentation, il se retint d'essayer le son de ce belliqueux instrument. Et, après cet unique moment de légèreté, pendant toute la cérémonie de la confirmation, il se montra si attentif et extasié que l'évêque lui-même le remarqua parmi les autres, et qu'il lui dit, en lui faisait une caresse : « Ah, le beau, le brave petit soldat de l'Église ! » Lorsque vint pour lui le moment de recevoir l'Eucharistie, ses yeux levés vers le calice brillèrent d'une telle innocence et d'une telle gloire que sa mère, en le voyant, fondit en larmes ; mais Andrea ne parut pas entendre ses sanglots. Après avoir reçu l'Hostie, il ferma les yeux, et il sembla alors qu'une lumière s'était éteinte dans la chapelle. Puis il resta pendant de longues minutes, recueilli, à genoux, la tête entre les mains ; et Giuditta, qui regardait sa tête, aux cheveux bien peignés et lissés pour la circonstance, se disait : « Qui sait quelles grandes pensées passent en ce moment même dans la tête de cet ange ! » Les beaux yeux reparurent enfin, mais, pendant tout le temps que dura la Messe, ils restèrent perdus, et fixèrent les illuminations de l'autel. *« Même pas un regard pour sa mère »*, pensa Giuditta.

Finita la cerimonia, Giuditta si riportò a casa i suoi figli. Il cancello del convento s'era appena chiuso dietro di loro che già Laura, con leggerezza, smaniava di ritornare ai propri giochi. Nel lungo vestito da sposa della Prima Comunione, col velo e la corona in testa, essa prese a correre allegramente lungo il viale che portava a casa; meritandosi i rimproveri di alcuni passanti, il quali la richiamarono al contegno che si conveniva al suo abito.

Ma Andrea invece camminava assorto, senza occuparsi di sua madre e di sua sorella, come uno straniero.

Da quel giorno, egli si comportò in casa come se la vita famigliare e gli eventi domestici non lo riguardassero piú. Le sue rivolte, i suoi odii e i suoi capricci erano finiti; ma con essi pareva spento anche il suo affetto per la madre. Se, in sua presenza, venivano menzionati la danza e il teatro, o si alludeva in qualche modo alla detestata professione di Giuditta, sul suo volto appariva solo un'ombra di disprezzo. Non meno di prima, rifuggiva dalla compagnia di ballerini, attori, cantanti, e di tutto quel mondo amico di Giuditta; ma questa sua volontà di appartarsi non aveva piú il medesimo significato di prima.

À la fin de la cérémonie, Giuditta reconduisit ses enfants chez elle. La grille du couvent venait à peine de se refermer derrière eux que déjà Laura, avec légèreté, brûlait de retourner à ses jeux. Dans la longue robe de mariée des premières communiantes, avec son voile et sa couronne sur la tête, elle se mit à courir gaiement le long de l'avenue qui conduisait chez elle, méritant ainsi les reproches de quelques passants, qui la rappelèrent à la tenue qui convenait à son costume.

Mais Andrea au contraire marchait avec recueillement, sans s'occuper de sa mère ni de sa sœur, comme un étranger.

Depuis ce jour-là, il se comporta chez lui comme si la vie familiale et les événements domestiques ne le regardaient plus. Ses révoltes, ses haines et ses caprices étaient finis ; mais, avec eux, son affection pour sa mère semblait également éteinte. Si, en sa présence, on mentionnait la danse ou le théâtre, ou si l'on faisait allusion de quelque manière à la profession détestée de Giuditta, seule une ombre de mépris apparaissait sur son visage. Il fuyait non moins qu'avant la compagnie des danseurs, des acteurs, des chanteurs, et de tout ce monde des amis de Giuditta ; mais cette volonté de se tenir à l'écart n'avait plus la même signification qu'autrefois.

Anche se non c'erano visite, adesso, lui amava
appartarsi; e non cercava piú nemmeno i suoi
compagni, non giocava piú con la sorella, pareva
sempre assorto in pensieri troppo difficili per la
sua età, cosí che Giuditta temeva dovesse cadere
ammalato. Era estate, le scuole s'erano chiuse, ma
lui leggeva per ore dei libri ricevuti in prestito dai
padri del suo convento dove spesso si recava in
visita. I padri gli spiegavano i punti piú difficili dei
libri letti, e ne ragionavano insieme à lui, incan-
tandosi alle sue osservazioni. La ruga della meditazione s'era ancor piú scavata sulla sua fronte.

Proprio in quei giorni, nella chiesa del quartiere
parlava ogni domenica un predicatore famoso. In
mezzo alla folla che accorreva alle sue prediche
non mancava mai un devoto alto poco piú di un
metro, che, a giudicare dai vestiti poveri, trascu-
rati si sarebbe detto quasi un ragazzaccio di
strada; e i cui lucenti occhi azzurri fissavano il
pulpito, pieni di gratitudine e di interrogazione.
Un giorno, che il predicatore parlava della Passione di Cristo, quell'attento ascoltatore si commosse al punto che proruppe in singhiozzi
disperati.

Ma si ricordano altri episodi, ancora piú note-
voli, di quella santa estate di Andrea.

Même s'il n'y avait pas de visites, il aimait maintenant se mettre à l'écart, il ne recherchait même
plus ses camarades, il ne jouait plus avec sa sœur,
il semblait toujours plongé dans des pensées trop
difficiles pour son âge, à tel point que Giuditta
redoutait qu'il ne tombât malade. C'était l'été,
les écoles étaient fermées, mais il lisait pendant
des heures des livres que lui avaient prêtés les
Pères de son couvent, où il se rendait souvent en
visite. Les Pères lui expliquaient les passages les
plus difficiles des livres qu'il avait lus, et ils en discutaient avec lui, en s'émerveillant de ses obser-
vations. La ride de la méditation s'était encore
plus profondément gravée sur son front.

Juste à la même époque, un prédicateur célèbre
parlait chaque dimanche dans l'église du quartier. Au milieu de la foule qui accourait à ses ser-
mons, ne manquait jamais la présence d'un fidèle,
haut d'à peine plus d'un mètre, que l'on aurait
presque pu prendre pour un gamin de la rue à le
juger sur ses vêtements pauvres et négligés, et
dont les yeux bleus, brillants, fixaient la chaire,
pleins de gratitude et d'interrogation. Un jour,
comme le prédicateur parlait de la Passion du
Christ, cet auditeur attentif s'émut à tel point
qu'il éclata en sanglots désespérés.

Mais on se rappelle d'autres épisodes, plus
remarquables encore, de ce saint été d'Andrea.

In un quartiere lontano della città, presso una grande basilica, si levava un'altissima scalinata detta la *Scala Santa*, che pellegrini e fedeli venuti da ogni parte del mondo usavano percorrere in ginocchio, e talvolta a piedi scalzi, per meritare l'indulgenza divina. Sulle pareti laterali della scala erano affrescate le varie stazioni della Passione, e sul fondo della loggia che conchiudeva la sommità splendeva un mosaico trionfale di santi e di martiri tutti ornati d'oro. I quali parevano attendere lassú il pellegrino, per festeggiarlo al termine della sua penitenza.

Un pomeriggio presto si trovarono a passeggiare intorno alla Basilica due giovani ballerine dell'Opera, che abitavano in quelle vicinanze. Erano le grandi ore deserte della canicola estiva; e passando davanti alla Scala Santa le due ballerine notarono che alla base della gradinata, là dove i fedeli, scalzandosi per iniziare l'ascesa, usavano deporre le loro calzature, c'erano solo due sandali minuscoli, molto usati e impolverati. A levar gli occhi, poi, si scorgeva, in alto in alto, un minuscolo pellegrino unico e solo, che avanzava scalzo in ginocchio, e toccava ormai quasi il sommo della scala. La piccola misura di quei sandali, e del loro proprietario penitente, meravigliò le ballerine : giacché, secondo la norma, soltanto gente adulta compieva simili voti faticosi.

Dans un quartier éloigné de la ville, auprès d'une grande basilique, se dressait un très haut escalier, que l'on appelle la *Scala Santa*, et que des pèlerins et des fidèles venus du monde entier avaient coutume de parcourir à genoux, et parfois pieds nus, afin de mériter l'indulgence divine. Sur les parois latérales de l'escalier, des fresques représentaient les différentes stations de la Passion, et sur le fond de la loggia qui en terminait la partie supérieure, resplendissait une mosaïque triomphale avec des saints et des martyrs, tout ornés d'or. Ils semblaient attendre là-haut le pèlerin, pour le fêter au terme de sa pénitence.

Un après-midi, de bonne heure, il se trouva que deux jeunes danseuses de l'Opéra, qui habitaient dans ces parages, se promenaient autour de la basilique. C'étaient les grandes heures désertes de la canicule ; et lorsqu'elles passèrent devant la *Scala Santa*, les deux danseuses remarquèrent qu'à la base des gradins, là où les fidèles qui se déchaussaient pour commencer leur montée avaient coutume de déposer leurs souliers, il y avait seulement deux minuscules sandales, fort usées et couvertes de poussière. En levant les yeux, on apercevait, tout en haut, un minuscule pèlerin, seul et unique, qui avançait les pieds nus et à genoux, et touchait presque le sommet de l'escalier. La petite taille de ces sandales et celle du pénitent, leur propriétaire, étonnèrent les danseuses : en effet, selon la règle, seuls des adultes accomplissaient des vœux aussi fatigants.

Esilarate dallo spettacolo insolito, le due ballerine, ch'erano d'indole leggera, concertarono uno
scherzo. E raccolti quei piccoli sandali, si nasco-
sero con essi dietro il muro della scala, aspettando
la discesa del solitario devoto. Dopo un'attesa
piuttosto lunga, eccolo finalmente. Con sorpresa
le due nascoste riconobbero allora il figlio di Giuditta la danzatrice che lavorava nel corpo di ballo
dell'Opera e della quale entrambe frequentavano
spesso la casa come compagne di mestiere.

Ridisceso al piede della scala, egli volse il viso
madido di sudore alla ormai lontana loggia della
cima, e, fattosi il segno della croce, ripose in tasca
un piccolo rosario argentato. Quindi si volse a cercare le proprie calzature; e, non trovandole, girò
uno sguardo corrusco e selvatico per lo spiazzo,
con l'aria di un lupo non divezzato ancora, che
s'inoltri in un bosco infido. Lo spiazzo, bruciato
dal sole, era deserto; e lui volse indietro la testa,
gettando un rapido sguardo ai gradini piú pros-
simi della scala. Dopo di che, senza piú cercare le
sue scarpe, si girò d'un balzo e, a piedi nudi, se
ne fuggí via.

Le due ballerine, che avevano rischiato di soffocare dal ridere, si precipitarono allora fuori dal
nascondiglio, chiamando a gran voce: Campese!
Campese!

Amusées par ce spectacle insolite, les deux danseuses, qui étaient d'humeur légère, convinrent de jouer un bon tour. Après avoir pris les petites sandales, elles se cachèrent, en les gardant avec elles, derrière le mur de l'escalier, et attendirent la descente du dévot solitaire. Après un moment assez long, il arriva enfin. Avec surprise, les deux jeunes filles cachées reconnurent alors le fils de Giuditta, la danseuse qui travaillait dans le corps de ballet de l'Opéra, et dont toutes les deux fréquentaient souvent la maison, en tant que compagnes de travail.

Une fois redescendu au pied de l'escalier, il tourna son visage baigné de sueur vers le portique du sommet, désormais éloigné, et, après s'être signé, il remit dans sa poche un petit chapelet argenté. Puis il se retourna pour chercher ses souliers; ne les trouvant pas, il balaya la place d'un regard flamboyant et sauvage, avec l'air d'un loup non encore rassasié qui s'avance dans un bois dangereux. L'esplanade, brûlée par le soleil, était déserte; il retourna la tête en arrière, et jeta un coup d'œil rapide sur les marches les plus proches de l'escalier. Après quoi, sans chercher davantage ses chaussures, il se retourna d'un bond, et, pieds nus, il s'enfuit.

Les deux danseuses, qui avaient failli étouffer de rire, se précipitèrent alors en dehors de leur cachette, en appelant à grands cris : «Campese! Campese!»

Andrea si arrestò, e al riconoscere le due ragazze, che gli recavano i suoi sandali, avvampò in viso. — Abbiamo trovato queste scarpe, — gli disse la ballerina piú anziana, con aria di finta ingenua, — sono tue? — Egli s'impadroní dei sandali, li buttò in terra, e senza curarsi di allacciarli, come fossero zoccoli, v'infilò i piedi. — Oh! — protestò la ballerina, — che modi son questi? Ti ritrovo le scarpe, e tu non ringrazi nemmeno? — Ti sei almeno ricordato, — intervenne la seconda ballerina, — di dire una avemaria anche per noi? — Ma a tali parole Andrea non dette altra risposta se non uno sguardo cosí aggrondato che quelle due matte, loro malgrado, provarono soggezione. Quindi egli volse loro le spalle, e, trascinando in terra i suoi sandali sganciati, veloce si allontanò.

Questo episodio, e altri simili, fecero presto conoscere ai compagni di Giuditta, e al vicinato, la vocazione di Andrea. Si seppe che il figlio della Campese rinunciava a piaceri e divertimenti, e aveva distribuito in dono il suo fischietto d'argento, la sua pietra focaia, la sua bussola, e tutti gli altri oggetti che gli erano cari, per meritare meglio, coi sacrifici, la confidenza di Dio. Contro il volere di sua madre, si sottoponeva al digiuno, rinunciava ai cibi che gli piacevano di piú;

Andrea s'arrêta et, quand il reconnut les deux jeunes filles qui lui portaient ses chaussures, son visage s'incendia : « Nous avons trouvé ces chaussures, lui dit la plus âgée des danseuses, sur un ton faussement ingénu. Sont-elles à toi ? » Il s'empara des sandales, les jeta à terre et sans se soucier de les lacer, il les enfila comme si c'étaient des sabots. « Oh ! protesta la danseuse, qu'est-ce que c'est que ces manières ? Je retrouve tes chaussures, et tu ne dis même pas merci ? — As-tu au moins pensé, ajouta la seconde danseuse, à dire un *Ave* pour nous aussi ? ». Mais, à ces mots, Andrea ne donna d'autre réponse qu'un regard si courroucé que ces deux folles, malgré elles, en furent intimidées. Puis il leur tourna le dos, et, traînant à terre ses sandales délacées, il s'éloigna rapidement.

Cet épisode, et d'autres du même genre, firent bientôt connaître aux compagnons de Giuditta, et au voisinage, la vocation d'Andrea. On sut que le fils de la Campese renonçait aux plaisirs et aux amusements, et qu'il avait distribué en cadeau son sifflet d'argent, sa pierre à briquet, sa boussole, et tous les autres objets auxquels il tenait, afin de mieux mériter la confiance divine, grâce à ses sacrifices. Contre la volonté de sa mère, il se soumettait au jeûne, renonçait aux mets qu'il préférait ;

e talvolta, nella notte, scendeva dal letto, in cui, fin dalla prima infanzia, dormiva al fianco di sua sorella Laura, e si coricava sul nudo pavimento : cosí, infatti, usavano fare i grandi Santi di cui aveva letto le storie. Quel bugigattolo buio dove, in altri tempi, soleva nascondere le sue ribellioni, era diventato il suo rifugio preferito; e un giorno, ch'egli aveva trascurato di chiuderne a chiave l'uscio, Giuditta lo sorprese là inginocchiato in terra, con le mani giunte e gli occhi pieni di lagrime che miravano incantati la finestra : come se in quel vetro polveroso vedessero delle figure divine. Da piú di un'ora egli stava cosí : e i suoi ginocchi eran tutti rossi e indolenziti.

La sola virtú cristiana che Andrea non praticasse, era l'umiltà; al contrario, aveva assunto verso tutte le persone (che non fossero ministri del cielo), un atteggiamento di riscatto e di fiero privilegio. Ma la superbia, su quel volto infantile, faceva sorridere la gente, invece d'irritarla.

Egli era considerato da tutti quasi un santo, e molte madri lo invidiavano a Giuditta. Lei, però, che prima aveva spesso trattato da importuno l'affetto eccessivo di Andrea, provava adesso, talvolta, un disappunto amaro al vedere che lui non aveva piú a cuore nient'altro che il Paradiso, e s'era dimenticato addirittura d'esser figlio d'una madre.

et, parfois, pendant la nuit, il sortait de son lit, dans lequel, depuis sa première enfance, il dormait à côté de sa sœur Laura, et il s'allongeait sur le carrelage nu : c'est ainsi que, de fait, avaient coutume d'agir les grands saints dont il avait lu les vies. Le cagibi, dans lequel il avait autrefois l'habitude de cacher ses révoltes, était devenu son refuge favori ; et, un jour, comme il avait oublié d'en fermer la porte à clef, Giuditta le surprit là, agenouillé par terre, les mains jointes et les yeux pleins de larmes, qui regardaient avec fascination la fenêtre, comme s'ils voyaient dans cette vitre poussiéreuse des figures divines. Depuis plus d'une heure, il se tenait ainsi : et ses genoux étaient tout rouges et meurtris.

La seule vertu chrétienne qu'Andrea ne pratiquait pas, c'était l'humilité ; au contraire, il avait pris, envers toutes les personnes qui n'étaient pas des ministres du ciel, une attitude de revanche et de hautaine supériorité. Mais l'orgueil, sur ce visage d'enfant, faisait sourire les gens au lieu de les irriter.

Tous le considéraient comme un saint, ou presque, et bien des mères l'enviaient à Giuditta. Mais elle, qui autrefois avait souvent traité d'importune l'excessive affection d'Andrea, ressentait parfois maintenant une amère déception en voyant qu'il n'avait plus rien d'autre à cœur que le Paradis, et qu'il avait tout à fait oublié qu'il était le fils d'une mère.

Quand'ella, adesso, rimaneva a casa la sera, lui (che in altri tempi celebrava queste serate come una gran festa), era capace di lasciarla in cucina con Laura, per ritirarsi in camera o nel suo bugigattolo. Un pomeriggio, che Laura si trovava in visita da un'amica, avvenne perfino (cosa inaudita), ch'egli lasciò sua madre sola in casa, per recarsi a visitare i suoi prediletti padri! E un giorno che Giuditta lo invitò a passeggio, lui, che prima aspettava questi inviti come la grazia suprema, accettò con freddezza, senza nessuna gratitudine. E per tutta la passeggiata, tenne un contegno imbronciato e distratto, come se fosse, da parte sua, una grande concessione perder tempo insieme con lei.

Per orgoglio offeso, Giuditta non lo invitò piú: «Se ci tiene, — pensò, — me lo chiederà lui stesso, di andare insieme a passeggio». E Andrea non glielo chiese mai. Qualche volta, nell'uscire di casa, al momento di salutarlo, Giuditta credette di cogliere nei suoi occhi uno sguardo interrogante e spaurito; ma probabilmente fu un'illusione, e infine, col passar dei giorni, egli non parve piú nemmeno accorgersi della presenza, o delle assenze, di sua madre. Quand'ella, sul punto di uscire, lo salutava, egli rispondeva al suo saluto con indifferenza, senza levar gli occhi dal libro.

Dov'era finita la sua tenerezza? dove, i suoi trasporti appassionati? Egli non rispondeva alle carezze di sua madre, o addirittura le sfuggiva.

Désormais, quand elle restait le soir à la maison, lui qui, jadis, célébrait ces soirées comme de grandes fêtes, il était capable de l'abandonner à la cuisine avec Laura, pour se retirer dans sa chambre ou dans son cagibi. Un après-midi, comme Laura se trouvait en visite chez une amie, il lui arriva même (chose inouïe) de laisser sa mère seule à la maison, pour aller faire une visite à ses Pères bien-aimés ! Un jour que Giuditta l'avait invité à une promenade, lui qui attendait jadis ces invitations comme la grâce suprême, il accepta froidement, sans aucune gratitude. Et pendant toute la promenade, il fit une mine boudeuse et distraite, comme si c'était, de sa part, une grande concession que de perdre son temps avec elle.

Atteinte dans son orgueil, Giuditta ne l'invita plus : « S'il y tient, pensa-t-elle, c'est lui-même qui demandera que nous allions nous promener ensemble. » Mais Andrea ne le lui demanda jamais. Quelquefois, en sortant de chez elle, et au moment de lui dire au revoir, Giuditta crut cueillir dans ses yeux un regard interrogatif et apeuré ; mais ce fut probablement une illusion ; enfin, à mesure que les journées passaient, il ne sembla même plus s'apercevoir de la présence ou des absences de sa mère. Quand, au moment de sortir, elle le saluait, il répondait à son adieu avec indifférence, sans lever les yeux de son livre.

Où était passée sa tendresse ? où, ses transports passionnés ? Il ne répondait pas aux caresses de sa mère, il les fuyait même.

E se poi Giuditta gli faceva notare l'ingiustizia del
suo contegno, la guardava con quella sua nuova
espressione di distacco sdegnoso, quasi a dirle:
«Che pretesa è la tua, ch'io m'abbassi ancora a
certe svenevolezze e smorfie da bambini? Non è
più quel tempo, signora mia. Ben altro è, adesso,
il luogo del mio affetto e della mia devozione; e
là non c'è posto per una volgare ballerina come
te. Occupati delle tue grandi faccende, e non dis-
turbarmi.» Egli aveva un quaderno, dove talvolta
lo si vedeva scrivere a lungo, gli occhi intenti e i
sopraccigli corrugati. Giuditta, di nascosto, andò
a sfogliare questo quaderno, e scoprí ch'esso
conteneva delle poesie, di cui ecco un esempio:

IL SIGNORE PARLA A CAINO

Che facesti, o Caino infame? Hai fatto un'impresa
  crudele!
Tu hai ammazzato il tuo fratello Abele!!!
Abele è in Paradiso, e l'odiato invidioso
è unghiato dalle tigri, al ner deserto, peggio d'un uom
  lebbroso.
Ma il Grande Iddio gli dice: — Non pianger, povero
  figlio.
Guarda l'Oceano! Qua avanza un Veliero! Sul più
  alto pennone sventola un vessillo!
Ciurma, alle vele. Guarda i marinai!
Sono Arcangeli e Serafini! Adesso il Capitano vedrai,
guarda che magnifico Eroe del Paradiso eterno!

Et, si Giuditta lui faisait remarquer l'injustice de son comportement, il la regardait avec sa nouvelle expression de détachement dédaigneux, comme pour lui dire : «Quoi, tu prétends que je m'abaisse encore à certaines mièvreries, à des grimaces d'enfant? Le temps en est passé, chère madame! Le lieu de mon affection et de ma dévotion est bien différent, maintenant; et là, il n'est point de place pour une vulgaire danseuse comme toi. Occupe-toi de tes grandes affaires, et ne me dérange pas.» Il avait un cahier, sur lequel on le voyait parfois écrire longuement, les yeux attentifs, les sourcils froncés. Giuditta, en cachette, alla feuilleter ce cahier, et découvrit qu'il contenait des poésies, dont voici un exemple :

LE SEIGNEUR PARLE À CAÏN

Qu'as-tu fait, ô infâme Caïn? Tu as fait une action
bien cruelle!
Tu as tué ton frère Abel!!!
Abel est au Paradis, et le détestable envieux
est griffé par les tigres, au noir désert, pire qu'un lépreux.
Mais le Grand Dieu lui dit : «Ne pleure point, pauvre
enfant.
Regarde l'Océan! Ici s'avance un Voilier! sur la plus
haute vergue flotte un étendard triomphant!
Chiourme, aux voiles! Regarde les marins!
Ce sont des Archanges et des Séraphins!
Le Capitaine va maintenant paraître,
Regarde ce héros magnifique du Paradis Terrestre!

Avanti, miei prodi! Non perdete tempo! Correte al
    governo!
Forza, Caino, sali in coperta! Il mio Velier audace
    fa duemila leghe al secondo.
In meno di tre lune sarem in vista del Paradiso gio-
    condo.
Vedrai quanta bellezza ha il Regno del Grande Sal-
    vatore!
Là vedrai un Sovrumano che di Satana è il trionfa-
    tore.
Adesso ti devi inginocchiare davanti a quell'unico Re.
Ed Ei ti dà il perdono e ti dice : «Vuoi stare con me?»
Asciuga il pianto, miser Caino, ti ha perdonato.
    Vicino all'Iddio splende d'Israel la stella
Maria, nel suo lussuoso mantel, di tutte le donne pri-
    marie la piú bella.

Giuditta non era abbastanza esercitata in lette-
ratura per mettersi a sofisticare sulle licenze
metriche e grammaticali di una composizione
poetica. E la lettura di questi versi la commosse
al punto che ruppe in lagrime. Era certa di aver
veduto, ormai, le prove del genio e della straordinaria virtú di Andrea, e una tale constatazione le
fece rimpiangere peggio di prima di non essere
piú la prediletta del suo cuore. Ma d'altra parte,
si sarebbe vergognata di disputare il figlio ai fortu-
nati rivali, che erano, nientemeno, i Sovrani celesti!

En avant, mes preux! courez au gouvernail! Soyez
    prompts!
Courage, Caïn, monte sur le pont!
Mon Voilier audacieux fait deux mille lieues par
    seconde.
En moins de trois lunes, nous serons au bout du
    monde.
En vue du Paradis tu verras la beauté du Royaume du
    grand Sauveur!
Là tu verras un Surhumain, qui de Satan est le vain-
    queur.
Maintenant tu dois t'agenouiller devant cet Unique
    Roi.
Et Il te donne son pardon et te dit « Veux-tu rester avec
    moi ? »
Essuie tes pleurs, pauvre Caïn, je t'ai pardonné.
    Auprès de Dieu brille l'étoile d'Israël.
Marie, dans son luxueux manteau, de toutes les
    femmes la plus belle.

Giuditta n'avait pas assez l'habitude de la litté-
rature, pour se mettre à épiloguer sur les licences
métriques et grammaticales d'une composition
poétique. Et la lecture de ces vers l'émut à tel
point qu'elle fondit en larmes. Elle était certaine
d'avoir vu désormais les preuves du génie et de
l'extraordinaire vertu d'Andrea, et cette consta-
tation lui fit regretter, plus encore qu'auparavant,
de n'avoir plus la première place dans son cœur.
Mais d'autre part, elle aurait eu honte de disputer
son fils à ses heureux rivaux, qui n'étaient rien de
moins que les Souverains du Ciel!

E in quei giorni, inoltre, un disastro sopravvenuto nella sua carriera le occupò tutti i sentimenti, non lasciandole il tempo né la voglia di pensare alle proprie delusioni materne. Durante tutti quegli anni, aveva sempre sperato di distinguersi finalmente fra le ballerine dell'Opera, e d'esser promossa almeno a ballerina solista, in attesa di diventare Prima Ballerina. Invece, d'improvviso, venne licenziata dall'Opera. Ella affermò che ciò si doveva a una congiura delle sue compagne invidiose; ma nella cerchia del teatro dicevano che la colpa era del suo scarso talento, il quale andava scemando invece di migliorare. Anche la sua persona s'era sciupata, le sue gambe s'erano troppo smagrite, i suoi fianchi ingrossati, era goffa e faceva sfigurare il Corpo di Ballo.

L'estate era finita, si riaprivano le scuole. E quando Andrea annunciò a sua madre la propria intenzione di rinchiudersi in un Istituto religioso, che accoglieva i ragazzi destinati al sacerdozio, e dove i Padri suoi protettori potevano ottenergli un posto quasi gratuito, Giuditta trovò che questa era una risorsa provvidenziale. Infatti ella si accingeva a chiuder casa. Incominciava l'epoca dei suoi pellegrinaggi da una città all'altra, dietro i miraggi di una scrittura, o al seguito di compagnie vaganti. Laura fu messa a pensione presso una vecchia maestra di scuola, che s'incaricò di aiutarla nei suoi studi;

De plus, un désastre survenu ce jour-là dans sa carrière occupa tous ses sentiments, sans lui laisser le temps ni l'envie de penser à ses déceptions maternelles. Au cours de toutes ces années, elle avait toujours espéré se distinguer enfin, parmi les danseuses de l'Opéra, et passer au moins au rang de danseuse soliste, en attendant de devenir Première Danseuse. Et, au contraire, elle fut licenciée à l'improviste par l'Opéra. Elle affirma que cela était dû à une conjuration de ses compagnes jalouses ; mais, dans le milieu du théâtre, l'on disait que c'était la faute de son manque de talent, qui baissait peu à peu au lieu de progresser. Et puis son corps s'était enlaidi, ses jambes étaient devenues trop maigres, ses hanches s'étaient élargies, elle était disgracieuse et déparait le Corps de Ballet.

L'été était fini, les écoles rouvraient leurs portes. Et lorsque Andrea annonça à sa mère son intention de s'enfermer dans une institution religieuse, qui accueillait les garçons se destinant au sacerdoce, et dans laquelle les Pères qui le protégeaient pouvaient lui obtenir une place presque gratuite, Giuditta trouva que c'était là une ressource providentielle. De fait, elle se préparait à changer de maison. C'était le commencement de ses pérégrinations d'une ville à l'autre, derrière les mirages d'un engagement, ou à la suite de compagnies errantes. Laura fut mise en pension chez une vieille maîtresse d'école, qui se chargea de l'aider dans ses études ;

e Andrea entrò, quale piccolo aspirante prete, nell'Istituto di O., cittadina di provincia dell'Italia centrale, non lontana dai confini col Mezzogiorno.

Quando la sua vita instabile glielo permetteva, Giuditta andava a fargli visita. Sempre vestita con molto decoro e quasi con austerità (com'era stata in ogni tempo sua abitudine fuori del teatro) ella aveva proprio l'aspetto d'una vera signora. La sua persona, come avviene spesso alle donne di sangue siciliano, declinava rapidamente verso una maturità precoce; ma i suoi propri occhi, e gli occhi dei suoi figli, rimanevano ciechi a simile decadenza.

Il suo pretino le si faceva incontro in Parlatorio, nella tonaca di saia nera dentro la quale egli aveva preso a crescere troppo in fretta, cosí che le maniche non arrivavano piú a coprirgli i polsi delicati. Ogni volta Giuditta lo ritrovava piú alto e piú magro. Il suo viso, già tondo, s'era assottigliato, in modo che gli occhi grandi parevano divorarlo; e sulla ruga della meditazione, che gli scavava la fronte fra i sopraccigli, era apparsa una nuova ruga trasversale, quella della severità. Aveva sempre, negli incontri con sua madre, un'aria di severo distacco, e s'ella, cedendo alla propria debolezza di donna, sollecitava da lui qualche segno dell'affetto antico, egli la guardava duramente, aggrottando i sopraccigli, oppure girava il viso da un altro lato, con una espressione beffarda.

et Andrea entra, en tant que jeune aspirant à la prêtrise, à l'Institut d'O., petite ville de province, dans le centre de l'Italie, non loin des frontières avec le Sud.

Lorsque sa vie instable le lui permettait, Giuditta allait lui faire des visites. Toujours vêtue avec beaucoup de dignité, et presque avec austérité (comme cela avait toujours été son habitude, en dehors du théâtre) elle avait tout à fait l'allure d'une vraie dame. Sa silhouette, comme cela se produit souvent chez les femmes de sang sicilien, déclinait rapidement vers une maturité précoce ; mais ses yeux, et les yeux de ses enfants restaient aveugles à cette décadence.

Son petit abbé venait à sa rencontre au parloir, avec sa soutane de serge noire, dans laquelle il s'était mis à grandir trop vite, de sorte que les manches ne réussissaient plus à recouvrir ses poignets délicats. Chaque fois, Giuditta le retrouvait plus grand et plus maigre. Son visage, rond jadis, s'était creusé, à tel point que ses grands yeux semblaient le dévorer ; et sur la ride de la méditation, qui lui creusait le front entre les sourcils, était apparue une nouvelle ride transversale, celle de la sévérité. Il avait toujours, au cours de ses rencontres avec sa mère, un air sévèrement détaché, et si, cédant à sa faiblesse de femme, elle réclamait de lui quelques signes de son ancienne affection, il la regardait durement, en fronçant les sourcils, ou bien il tournait le visage d'un autre côté, avec une expression narquoise.

Non s'interessava piú assolutamente alla vita di lei. Una volta ch'ella accennò a una propria nuova speranza (che poi si rivelò illusoria) di entrare nel Corpo di Ballo della Scala di Milano, egli inarcò i sopraccigli con aria impertinente, piegando i labbri a una smorfia di noncuranza e di sprezzo. Alle mille domande di Giuditta, rispondeva con un riserbo infastidito; e i loro discorsi per solito finivano qui, poiché, da parte sua, lui non le faceva mai domande, se non in qualche rara occasione, per aver notizie della sua gemella Laura. Insomma, Andrea trattava sua madre come il simulacro di un oggetto ripudiato, che fu vivo nel nostro cuore in tempi ingenui, e di cui non c'importa piú nulla.

Giuditta, però, aveva conosciuto troppo bene, in passato, suo figlio Andrea, per mancar di ottenere ancora, durante le loro conversazioni, qualche successo diplomatico. L'istinto e la furbizia le suggerivano, talvolta, un argomento opportuno, una frase felice, grazie ai quali sul viso di Andrea rispuntava il suo sorriso incantato e disarmato, infantile. In quei rari momenti, le si slargava il cuore per l'allegrezza.

Una volta, ella si presentò al Collegio tutta lieta, e annunciò ad Andrea che s'era concesso un giorno intero di vacanza, per trascorrerlo insieme a lui.

Il ne s'intéressait absolument plus à la vie qu'elle menait. Une fois qu'elle fit allusion à un nouvel espoir (qui par la suite se révéla illusoire) d'entrer dans le Corps de Ballet de la Scala de Milan, il haussa les sourcils d'un air impertinent, en plissant ses lèvres avec une expression d'indifférence et de mépris. Il répondait aux mille questions de Giuditta avec une réserve ennuyée; et leurs conversations, en général, en restaient là, parce que, de son côté, il ne lui posait jamais de questions, si ce n'est, à de rares occasions, pour avoir des nouvelles de Laura, sa sœur jumelle. En somme, Andrea traitait sa mère comme le simulacre d'un objet répudié, qui fut vivant dans notre cœur à une époque ingénue, et dont nous ne nous soucions plus.

Mais Giuditta avait, dans le passé, trop bien connu son fils Andrea, pour négliger d'obtenir encore quelques succès diplomatiques au cours de leur conversation. L'instinct et la ruse lui suggéraient, parfois, un sujet opportun, une phrase heureuse, grâce auxquels reparaissait sur le visage d'Andrea son sourire enchanté et désarmé, enfantin. À ces rares instants, son cœur se dilatait d'allégresse.

Une fois, elle se présenta au collège tout heureuse, et elle annonça à Andrea qu'elle s'était accordé une journée entière de congé, pour la passer avec lui.

Aveva già ottenuto dal Padre Prefetto il permesso di andare a spasso col figlio per la città, e disponevano d'un pomeriggio intero per goderselo insieme : giacché, aveva detto il Prefetto, bastava ch'ella riconducesse Andrea in collegio prima del tramonto. A simile invito Andrea si rabbuiò in faccia, e rifiutò.

— Come! rifiuti di venire a spasso con me!

— Sí, non voglio uscire con te!

— Avanti, su! Oh, figlietto mio santo! Tu mi rispondi cosí apposta per farmi dispetto. Ho fatto questo viaggio, per aver l'onore di andare a passeggio col mio bel Reverendo. E lui vorrebbe dirmi di no? Su, mio bel cavaliere, non far sospirare tua madre. Forse trovi che son diventata brutta, non son piú degna delle tue bellezze? Presto, Andreuccio mio, non perdiamo tempo. Andremo insieme al passeggio sulle mura, guarderemo il panorama dai Bastioni, e ci siederemo al Caffè a prendere il gelato. Poi ci divertiremo a guardare i cartelli esposti al Cinematografo, dove stasera daranno un film... come s'intitola, aspetta? si tratta di qualcosa *su un bastimento, e su un Corsaro...*

Andrea inghiottí due o tre volte, e proferí un *no* rabbioso, insultante e definitivo.

— No? davvero, m'hai risposto di no!

— Non voglio uscire con te, basta! — esclamò Andrea, con violenza esasperata.

Elle avait obtenu du Père Préfet la permission
d'aller se promener en ville avec son fils, et ils dis-
posaient d'un après-midi entier pour rester
ensemble, car il suffisait, avait dit le Préfet, qu'elle
reconduisît Andrea au collège avant la tombée de
la nuit. À cette invitation, le visage d'Andrea se
rembrunit, et il refusa.

« Comment ! Tu refuses de venir te promener
avec moi ?

— Oui, je ne veux pas sortir avec toi !

— Allons, voyons ! Oh, mon saint garçon ! Tu
me réponds ainsi, exprès pour me contrarier. J'ai
fait ce voyage pour avoir l'honneur d'aller me
promener avec mon bel abbé. Et lui, il voudrait
me le refuser ? Allons, mon beau chevalier, ne
fais pas soupirer ta mère. Peut-être trouves-tu que
je suis devenue laide, que je ne suis plus digne de
tes charmes ? Vite, mon petit Andreuccio, ne per-
dons pas de temps. Nous irons nous promener
ensemble sur le rempart, nous regarderons le
panorama des Bastions, et nous irons nous
asseoir au Café pour prendre une glace. Puis
nous nous amuserons à regarder les affiches
exposées devant le cinéma, où l'on joue ce soir
un film... comment s'appelle-t-il, attends ? il
s'agit de quelque chose *sur un navire et sur un Corsaire.* »

Andrea avala deux ou trois fois sa salive, et pro-
féra un *non* rageur, insultant et définitif.

« Non ? c'est vrai, tu as répondu non ?

— Je ne veux pas sortir avec toi, cela suffit ! »
s'écria Andrea avec une violence exaspérée.

— Ah, dunque ho udito bene! rifiuti di uscire con me! e che cosa credi, d'esser piú santo, con questo? Questa non è santità, ma ingratitudine e cattiveria! Te ne pentirai, Dio ti punirà d'esser tanto maligno!

Andrea alzò una spalla, e guardò non verso sua madre, ma da un'altra parte, con una espressione di cupa canzonatura, come a dire che, sul soggetto di Dio, la signora Campese farebbe meglio a star zitta.

— Sí, Dio ti punirà, sarai punito, sarai punito! E perché non vuoi uscire con me? Esci con questi sottanoni del collegio (belle passeggiate, tutti in fila come pecore mangiacicoria), e, con me, no! Ah, vuoi sapere la verità, qual è? te la dico io, non te l'ho mai detta, ma adesso te la dico. T'hanno montato contro di me, questi colli-torti, ecco la verità vera. T'hanno detto che tua madre è una donnaccia, e che se ci vai insieme finirai all'Inferno! Allora, tu puoi dire da parte mia ai tuoi Signori Maestri che la via del Paradiso la conosco meglio io di loro! E che il giorno che ritroverò il tuo povero padre, potrò abbracciarlo a fronte alta e dirgli: *Ecco la moglie tua. Come l'hai lasciata, cosí la ritrovi.* Si può lavorare sul Teatro, e rimanere una donna onesta, diglielo ai tuoi Padri Reverendi! E il merito dell'onestà è ancora piú bello!

« Ah, j'ai donc bien entendu ! tu refuses de sortir avec moi ! et qu'est-ce que tu crois, penses-tu être plus saint pour autant ? Ce n'est pas de la sainteté, cela, mais c'est de l'ingratitude, et de la méchanceté ! Tu t'en repentiras, Dieu te punira d'être si mauvais ! »

Andrea haussa une épaule, et regarda, non pas vers sa mère, mais d'un autre côté, avec une expression de sombre raillerie, comme pour dire que, sur le sujet de Dieu, Mme Campese aurait mieux fait de se taire.

« Oui, Dieu te punira, tu seras puni, tu seras puni ! Et pourquoi ne veux-tu pas sortir avec moi ? Tu sors bien avec ces vieilles soutanes du collège (belles promenades, tous en rang, comme des brebis, des bêtes à manger du foin), et pas avec moi ? Ah, tu veux la savoir, la vérité ? Je vais te le dire, je ne te l'ai jamais dit, mais cette fois-ci je vais te le dire ! Ils t'ont monté la tête contre moi, ces bigots, voilà la vérité vraie ! Ils t'ont dit que ta mère est une mauvaise femme, et que si tu vas avec elle, tu finiras en Enfer ! Alors, tu peux dire de ma part à messieurs tes maîtres que le chemin du Paradis, je le connais mieux qu'eux ! Et que le jour où je retrouverai ton pauvre père, je pourrai le serrer dans mes bras, le front haut, et lui dire : « Voici ton épouse. Telle tu l'as laissée, telle tu la retrouves. » On peut faire du théâtre, et rester une femme honnête, dis-le à tes Révérends Pères ! Et le mérite de l'honnêteté est encore plus grand !

Sappi che Giuditta Campese è una signora, fu, è stata, e sarà sempre signora! E fa l'artista perché le piace l'Arte, ma, sul punto dell'onestà, nemmeno Santa Elisabetta non fu piú onesta di lei!

Andrea era pallido, snervato; ma proclamò, con accento aggressivo:

— Qui, nessuno s'interessa mai a te! Io non ho parlato mai di te con nessuno!

— Allora sentiamo, perché rifiuti di uscire? che nuovo pensiero t'è venuto in mente? tu hai proprio il sangue fanatico dei tuoi nonni, di quelle teste dure siciliane! Ah, quando mi sei nato, e io ero cosí contenta d'avere avuto un figlio maschio, chi l'avrebbe detto che m'ero fabbricata col sangue mio il mio peggior nemico! Dillo dunque, io ti faccio vergogna? è questo il motivo? ti vergogni d'uscire con me!

Giuditta lagrimava amaramente. Andrea tremava da capo a piedi, le sue labbra sbiancate palpitavano: ma piuttosto di collera, parve, che di compassione. Strinse i pugni, e proruppe, con voce rotta:

— Ah, perché vieni qui da me! Perché non la smetti di venire qui!

E correndo a precipizio fuggí dal parlatorio.

Interdetta, con gli occhi lagrimosi ingranditi dallo sgomento, Giuditta mosse le labbra per chiamarlo; ma Andrea era già sparito.

Tu dois savoir que Giuditta Campese est une dame, qu'elle fut, qu'elle a été et qu'elle sera toujours une dame ! Et si elle est artiste, c'est qu'elle aime l'Art ; mais sur le chapitre de l'honnêteté, même sainte Élisabeth ne fut pas plus honnête qu'elle ! »

Andrea était pâle, énervé, mais il proclama, sur un ton agressif :

« Ici, personne ne s'intéresse jamais à toi ! Je n'ai jamais parlé de toi à personne !

— Alors, voyons, pourquoi refuses-tu de sortir avec moi ? Quelle idée nouvelle t'est donc passée par la tête ? tu as bien le sang fanatique de tes aïeux, de ces têtes dures de Siciliens ! Ah, quand tu es né, et que j'étais si contente d'avoir un garçon, qui aurait dit que je m'étais fabriqué, avec mon propre sang, mon pire ennemi ? Dis-le donc, je te fais honte ? c'est là la raison ? tu as honte de sortir avec moi ? »

Giuditta pleurait amèrement. Andrea tremblait de la tête aux pieds, ses lèvres décolorées palpitaient, mais plutôt de colère, semble-t-il, que de compassion. Il serra les poings, et s'écria, d'une voix saccadée :

« Ah, pourquoi viens-tu ici me voir ? Pourquoi ne cesses-tu pas de venir ici ? »

Et il s'enfuit du parloir en courant à toutes jambes.

Interdite, ses yeux pleins de larmes agrandis par l'épouvante, Giuditta remua les lèvres pour l'appeler ; mais Andrea avait déjà disparu.

In quel momento, un sacerdote attraversava il corridoio, e allora Giuditta chinò lo sguardo per celare le lagrime, e compose il volto a un'espressione dignitosa. Si riabassò la veletta, s'infilò i guanti, e con passo tranquillo, come una signora che ha preso commiato dopo una visita regolare e soddisfacente, si avviò sola all'uscita. Un pacchetto di decalcomanie, che durante quel burrascoso colloquio ella aveva dimenticato di dare a suo figlio, le pendeva ancora dal polso.

Allorché, di là a qualche mese, tornò a visitare Andrea, come pure nelle altre sue visite successive, ella non fece mai parola su quanto era accaduto fra loro due quel giorno. Mai più osò chiedergli d'uscire insieme; aveva con lui maniere umili, trepidanti, ed evitava ogni discorso che potesse farlo adombrare. Da parte sua, Andrea manteneva il solito riserbo, che adesso, però, si mescolava d'una infantile timidezza. Spesso arrossiva, o si torceva senza ragione le sue sottili manine bianche, e ogni momento, per darsi un contegno, si lisciava i capelli con le dita. Se gli avveniva di sorridere o di ridere, abbassava gli occhi, e voltava la faccia, con una espressione incerta, fra la selvaticheria e la confidenza.

I loro incontri eran diventati assai brevi. Certe volte, venendo meno ogni argomento o pretesto di conversazione, quelle visite, per cui Giuditta aveva fatto un lungo viaggio in treno, duravano appena pochi minuti.

À ce moment, un prêtre traversait le couloir : Giuditta baissa les yeux pour cacher ses larmes et se composa une expression pleine de dignité. Elle abaissa sa voilette, enfila ses gants, et, d'un pas tranquille, comme une dame qui a pris congé après une visite régulière et satisfaisante, elle se dirigea seule vers la sortie. Un paquet de décalcomanies, qu'elle avait oublié de donner à son fils au cours de cet orageux entretien, était encore accroché à son poignet.

Lorsque, quelques mois plus tard, elle revint voir Andrea, de même que pendant ses visites successives, elle ne dit jamais un mot de ce qui s'était passé entre eux ce jour-là. Jamais plus elle n'osa lui demander de sortir avec elle ; elle avait avec lui des manières humbles, craintives, et évitait tous les sujets qui auraient pu le fâcher. De son côté, Andrea conservait sa réserve habituelle, mais qui se mêlait maintenant d'une timidité enfantine. Souvent il rougissait, ou tordait sans raison ses fines mains blanches, et, à tout instant, pour se donner une contenance, il se lissait les cheveux avec les doigts. S'il lui arrivait de sourire ou de rire, il baissait les yeux, ou tournait la tête, avec une expression incertaine, à mi-chemin entre la sauvagerie et la confiance.

Leurs rencontres étaient devenues assez brèves. Certaines fois, tous les sujets ou les prétextes de conversation venant à manquer, ces visites, pour lesquelles Giuditta avait fait un long voyage en train, duraient quelques minutes à peine.

Pareva proprio che Giuditta e Andrea non aves-
sero più nulla da dirsi; accadeva che rimanessero
entrambi in silenzio, durante alcuni minuti,
seduti uno di faccia all'altra, sulle alte sedie nere
del parlatorio. Cercando invano, nella sua mente,
qualche invenzione che potesse interessare o diver-
tire Andrea, la visitatrice se lo guardava e riguar-
dava. Guardava quelle guance, che di fronte
apparivano smagrite, ma di profilo mostravano
ancora la rotondità dell'infanzia; e quella fronte
(con le rughe della meditazione e della severità),
mezzo nascosta da un ciuffetto che l'irrequieta
mano di lui non lasciava mai in pace; e quegli
occhi belli che rifuggivano dai suoi. La prendeva
uno struggimento accorato d'abbracciare il pretino; ma non osava neppure d'accennare un tal
gesto, tanto egli le incuteva soggezione. Finché,
mortificata, confusa, come chi s'annoia o, al
contrario, teme di riuscire importuno, s'accomia-
tava in fretta.

Queste visite di Giuditta ad Andrea si ripete-
vano per solito tre o quattro volte l'anno. Durante
gli intervalli, Andrea riceveva da sua madre delle
cartoline illustrate, e (piuttosto di rado) qualche
lettera, da città sempre diverse, da lui mai vedute
e talvolta non conosciute nemmeno di nome. Le
lettere di Giuditta non recavano mai nessuna
notizia precisa né della sua presente esistenza, né
dei suoi progetti futuri.

Il semblait vraiment que Giuditta et Andrea n'avaient plus rien à se dire ; il leur arrivait de rester tous les deux en silence, pendant plusieurs minutes, assis l'un en face de l'autre, sur les hautes chaises noires du parloir. Tout en cherchant en vain, dans son esprit, quelque invention qui pût intéresser ou amuser Andrea, la visiteuse le regardait sans cesse. Elle regardait ces joues, qui, de face, étaient amaigries, mais, de profil, avaient encore la rotondité de l'enfance ; et ce front (avec la ride de la méditation et celle de la sévérité) à demi caché par une mèche que sa main inquiète ne laissait jamais en paix ; et ces beaux yeux qui fuyaient les siens. Elle se sentait prise d'un désir désolé de serrer son petit prêtre entre ses bras, mais elle n'osait pas même en esquisser le geste, tellement il lui en imposait. Jusqu'au moment où, mortifiée, confuse, comme quelqu'un qui s'ennuie, ou, au contraire, redoute d'être importun, elle partait à la hâte.

Ces visites de Giuditta se répétaient d'habitude trois ou quatre fois par an. Pendant les intervalles, Andrea recevait de sa mère des cartes postales, et (assez rarement) quelques lettres, expédiées de villes toujours différentes, qu'il n'avait jamais vues, et dont parfois il ne connaissait même pas le nom. Les lettres de Giuditta ne donnaient jamais aucune nouvelle précise, ni sur son existence présente, ni sur ses projets d'avenir.

S'aggiunga poi che, fin da quando frequentava le elementari, Giuditta non aveva mai brillato nel tema scritto. Il suo stile era involuto e affrettato nel tempo stesso; e inoltre cosí spropositato che l'ultimo della classe, nella scuola di Andrea, meritava d'esser trattato da professore di belle lettere in confronto a lei. Ma la sua calligrafia era maestosa: grande, angolosa e tuttavia ricca di svolazzi, con delle maiuscole addirittura smisurate.

Andrea le rispondeva indirizzando sempre, secondo i loro accordi, Fermo in Posta, a Roma: risposte vuote d'ogni effusione, ma puntuali e diligenti.

Verso il quarto anno della loro separazione, avvenne che passarono piú d'otto mesi senza che Giuditta si facesse vedere. Da lei non vennero altri segni di vita che i soliti vaglia postali d'ogni trimestre, inviati all'Amministrazione del Collegio, e qualche cartolina per il figlio, fra le quali un paio dall'Austria, e una dall'Africa francese. Esse recavano appena poche righe di saluto, da cui però Andrea credette di capire che l'artista errabonda non aveva piú ritirato la corrispondenza Fermo in Posta. Poi, negli ultimi due mesi, non giunsero piú nemmeno le cartoline.

Un giorno Andrea, dopo una passeggiata, attraversava in fila con i suoi compagni una via della piccola città, quando, su un manifesto teatrale incollato al muro, vide l'effigie di sua madre.

Il faut aussi ajouter que, depuis le temps où elle fréquentait le cours élémentaire, Giuditta n'avait jamais brillé en rédaction. Son style était compliqué et hâtif à la fois, et, de plus, tellement plein de fautes que le dernier de la classe, à l'école d'Andrea, méritait d'être traité de professeur de belles-lettres par rapport à elle. Mais son écriture était majestueuse, grande, anguleuse, et pourtant riche en volutes, avec des majuscules parfaitement démesurées.

Andrea lui répondait en adressant toujours, selon leurs accords, à la poste restante de Rome : réponses dépourvues de toute effusion, mais toujours ponctuelles et diligentes.

Vers la quatrième année de leur séparation, il advint que plus de huit mois s'écoulèrent, sans que Giuditta se fît voir. Il n'arriva pas d'autres signes de vie de sa part que les mandats-poste habituels de chaque trimestre, adressés à l'administration du collège, et quelques cartes postales pour son fils, dont deux ou trois venaient d'Autriche, et une d'Afrique française. Elles ne contenaient que quelques lignes de salutations, à travers lesquelles Andrea crut toutefois comprendre que l'artiste errante n'avait plus retiré son courrier à la poste restante. Puis, les deux derniers mois, les cartes n'arrivèrent même plus.

Un jour, après une promenade, Andrea, en rang avec ses compagnons, traversait une rue de la petite ville lorsque, sur une affiche de théâtre collée au mur, il vit le portrait de sa mère.

L'emozione fu cosí forte che il sangue gli montò al viso. Nessun altro, naturalmente, né il Padre accompagnatore né i compagni, aveva riconosciuto quella persona, né aveva mostrato interesse al manifesto : non è lecito, infatti, ad occhi consacrati a Dio, d'attardarsi su immagini di tal genere. Andrea si fermò, fingendo di allacciarsi una scarpa, e, senza parere, girando gli occhi di sotto in su verso il manifesto vi lesse :

SALA TEATRO GLORIA

stasera, alle ore 21,30

FEBEA

la grande Vedetta internazionale
reduce dai trionfi viennesi
presenta le sue danze classiche
Arabe, Persiane e Spagnole

Sotto queste parole, era ritratto nel centro, fra altre figure, il volto di Giuditta, incoronato da una specie di stella dai raggi serpeggianti, gli occhi cinti d'un grande alone nero, e sulla fronte un sigillo gemmato. Poi si leggeva ancora :

Precederà il solito programma di grandi attrazioni :

Son émotion fut si forte que le sang lui monta au visage. Personne d'autre, naturellement, ni le Père qui les accompagnait, ni aucun de ses camarades, n'avaient reconnu cette personne, ni manifesté d'intérêt pour l'affiche : il n'est pas permis, en effet, à des yeux consacrés à Dieu de s'attarder sur des images de ce genre. Andrea s'arrêta, en feignant de lacer un de ses souliers, et, sans en avoir l'air, en regardant par en dessous vers l'affiche, il lut :

SALLE DE THÉÂTRE GLORIA

Ce soir, à 21 h 30

FEBEA

La Grande Vedette Internationale
Au retour de ses triomphes viennois,
Présente ses Danses Classiques,
arabes, persanes et espagnoles

Au-dessous de ces mots, était reproduit, au centre, parmi d'autres personnages, le visage de Giuditta, couronné d'une espèce d'étoile aux rayons ondulants, les yeux cerclés d'un grand halo noir, et portant sur le front un pendentif couvert de pierreries. Puis on lisait encore :

Le spectacle commencera par le programme habituel
de grandes attractions :

PIERROT PREMIER,
IL PRINCIPE DELLE BOÎTES DI PARIGI
JOE RUMBA, CON LE SUE 15 GIRLS 15

ecc. ecc.

In preda a un tremendo batticuore, Andrea raggiunse di corsa la fila dei suoi compagni. FEBEA!
Non c'era dubbio che sotto questo nome si nascondeva la danzatrice Giuditta Campese.

Alle otto di sera, i collegiali si ritiravano nelle
camerate, e, alle nove, tutto il collegio dormiva.
Alle dieci e mezza, nella piccola città di provincia
regnava il deserto e il silenzio della piú profonda
notte.

Il lungo e stretto dormitorio era rischiarato a
mala pena dal barlume azzurrastro della lampadina
notturna, accesa al di sopra dell'uscio, presso la
tenda del padre sorvegliante. Si distinguevano le
forme bianche dei lettini, e, sulle pareti a calce, i
neri Crocifissi, e il ritratto, incorniciato d'ebano,
del Santo fondatore dell'Ordine. Andrea rimase
per due ore quieto, a finger di dormire, mentre era,
piú che sveglio, sul punto di diventare quasi matto
per l'impazienza. Come udí scoccare le dieci, sgus-
ciò dal letto, e, senza far piú rumore di una zan-
zara, si rivestí (fuori delle scarpe, che si legò al
polso per le stringhe), e uscí dal dormitorio.

PIERROT PREMIER,
LE PRINCE DES BOÎTES DE PARIS
JOE RUMBA, AVEC SES 15 GIRLS 15

Etc., etc.

En proie à de terribles battements de cœur, Andrea rejoignit au pas de course la file de ses compagnons. FEBEA! Il ne faisait pas de doute que, sous ce nom, se cachait la danseuse Giuditta Campese.

À huit heures du soir, les collégiens se retiraient dans les dortoirs et, à neuf heures, tout le collège dormait. À dix heures et demie, dans la petite ville de province, régnaient le désert et le silence de la nuit la plus profonde.

Le dortoir long et étroit était péniblement éclairé par la lueur bleuâtre de la veilleuse, allumée au-dessus de la porte, auprès des rideaux du Père surveillant. On distinguait les formes blanches des petits lits, et, sur les parois blanchies à la chaux, les crucifix noirs, et le portrait, encadré d'ébène, du Saint fondateur de l'Ordre. Andrea resta tranquille pendant deux heures, en faisant semblant de dormir, alors que, plus qu'éveillé, il était sur le point de devenir fou d'impatience. Lorsqu'il entendit sonner dix heures, il sauta hors de son lit, et, sans faire plus de bruit qu'un moustique, il se rhabilla (sans remettre ses chaussures, dont il noua les lacets autour de son poignet) et sortit du dortoir.

Sarebbe stato inutile tentare il portone principale, o il portoncino di servizio : ch'erano sbarrati
e inchiavardati come gli ingressi dei manieri, e,
per di piú, sotto la tutela del portinaio ; ma Andrea
conosceva, dal lato del refettorio, una finestruola
chiusa da un solo sportello di legno e che, da
un'altezza non superiore ai tre metri, s'affacciava
su un terrapieno. Avanzando a tentoni lungo i cor-
ridoi, e giú, per la buia rampa della scala di pietra,
egli ritrovò senza incidenti quella finestra ; donde
non gli fu difficile calarsi fuori. Giunto a terra, si
rialzò la tonaca fino ai ginocchi, e, senza perder
tempo a infilarsi le scarpe, coi piedi coperti solo
dalle corte calze di cotone, prese a correre verso i
recinti.

L'antico fabbricato del collegio sorgeva appena
fuori delle mura cittadine, là dove il cessare dell'
illuminazione stradale segnava il limite con la
campagna. La luna era tramontata già da due
ore ; ma il firmamento estivo (s'era ai primi di
giugno) spargeva un chiarore quasi lunare nella
notte bellissima. Andrea si rivolse un momento
a guardare la facciata del collegio ; solo qualche
rara finestruola era accesa : quelle dei Padri che,
a turno, ogni notte, vegliavano in preghiera nelle
loro celle. Lungo l'ala del palazzo, dov'era la
chiesa, i colori delle vetrate erano illuminati debolmente dalle lucerne ad olio, che ardevano nell'interno delle cappelle giorno e notte.

Il aurait été inutile de se risquer à franchir le portail principal, ou la petite porte de service, qui étaient barrés et verrouillés comme les entrées des châteaux forts, et, de plus, surveillés par le portier ; mais Andrea connaissait, sur le côté du réfectoire, une petite fenêtre fermée par un simple volet de bois, et qui donnait sur un terre-plein, à moins de trois mètres de hauteur. Après s'être avancé à tâtons le long des couloirs puis dans la sombre rampe des escaliers de pierre, il retrouva cette fenêtre sans encombre ; de là il ne lui fut pas difficile de se glisser en bas. Une fois à terre, il remonta sa soutane jusqu'à ses genoux, et sans perdre de temps à enfiler ses chaussures, les pieds couverts de ses seules socquettes de coton, il se mit à courir vers les grilles.

Le vieil édifice du collège s'élevait juste à l'extérieur des murs de la ville, là où la fin de l'éclairage des rues marquait la limite avec la campagne. La lune était couchée depuis déjà deux heures, mais le firmament d'été (on était au début de juin) donnait une clarté quasi lunaire, dans la nuit splendide. Andrea se retourna un instant pour regarder la façade du collège ; seules quelques rares petites fenêtres étaient allumées : celles des Pères qui, chaque nuit à tour de rôle, veillaient en prière dans leur cellule. Le long de l'aile de l'édifice, là où se trouvait l'église, les couleurs des vitraux étaient faiblement éclairées par les lampes à huile, qui, nuit et jour, brûlaient à l'intérieur des chapelles.

E dalla parte delle mura, sull'arco della cancel-
lata, si vedeva biancheggiare contro il sereno lo
stemma marmoreo dell'Ordine.

Andrea girò verso l'orlo della collina, dove un
tratto del muro di cinta secentesco, crollato per
una frana, era sostituito da una semplice rete di
filo di ferro. E dopo avere scavalcato il recinto
con agilità, malgrado l'impaccio della tonaca, si
gettò di corsa giú per i campi.

A meno d'un chilometro di là, in una casa di
contadini fittavoli, abitava un suo amico, d'un
paio d'anni piú anziano di lui. Di nome si chiamava Anacleto, era il figlio maggiore del fittavolo,
e Andrea aveva fatto la sua conoscenza durante
una passeggiata campestre della sua classe. Andrea
sapeva che, da qualche tempo, Anacleto dormiva
nella stalla, su uno strato di foglie di granoturco,
perché s'era affezionato a un puledro, nato, due
mesi prima, dalla giumenta di suo padre. La stalla
aveva una finestra bassa, provvista solo d'una
inferriata, donde Andrea avrebbe potuto ridestare
l'amico senza che nessun altro udisse.

Fu, però, una spiacevole sorpresa, per l'evaso
dal collegio, trovare che la finestra della stalla,
contro ogni sua previsione, era illuminata, e ne
uscivano due voci che cantavano insieme, accom-
pagnandosi a un suono di chitarra. L'una voce,
piú virile, tenuta in sordina, gli era sconosciuta;
nell'altra, ancora acerba, che cantava piú spie-
gato, riconobbe la voce del suo amico. Dunque,
Anacleto non era solo;

Et, du côté des murs, sur l'arc de la grille, on voyait, comme une tache blanche contre le ciel clair, l'écusson de marbre de l'Ordre.

Andrea se dirigea du côté de la colline, là où le mur d'enceinte, datant du xviie siècle, s'était effondré à la suite d'un glissement de terrain, et était remplacé par un simple grillage de fil de fer. Et, après avoir enjambé la grille avec agilité, malgré l'embarras de sa soutane, il se lança à la course, à travers les champs.

À moins d'un kilomètre de là, dans une métairie, habitait un de ses amis, d'un ou deux ans plus âgé que lui. Il s'appelait Anacleto, c'était le fils aîné du métayer, et Andrea avait fait sa connaissance au cours d'un promenade de sa classe à la campagne. Andrea savait que, depuis quelque temps, Anacleto dormait dans l'écurie, sur une couche de feuilles de maïs, car il s'était pris d'affection pour un poulain né deux mois plus tôt de la jument de son père. L'écurie avait une fenêtre basse, munie d'une simple grille, d'où Andrea pourrait réveiller son ami sans que personne d'autre l'entendît.

Ce fut donc une désagréable surprise pour le fugitif de trouver que la fenêtre de l'écurie, contre toute prévision, était éclairée, et qu'il en sortait deux voix qui chantaient ensemble, avec un accompagnement de guitare. L'une des voix, plus virile, tenue en sourdine, lui était inconnue ; dans l'autre, encore acerbe et dont le chant était plus alerte, il reconnut la voix de son ami. Donc, Anacleto n'était pas seul ;

e ciò rendeva l'impresa assai piú rischiosa e dubbia. Andrea, incerto sul partito da prendere, rimase alcuni minuti nascosto dietro il muro della casa. A dispetto delle circostanze drammatiche, il suo orecchio ascoltava con piacere la canzone d'amore cantata dalle due voci e le note della chitarra. Infine, deciso ad affrontare ogni possibile conseguenza del proprio ardimento, egli si accostò alla finestra illuminata.

Una lampada a petrolio, appesa a un trave della mangiatoia, spargeva nell'interno una luce bella e chiara. La giumenta, con la testa piegata sulla mangiatoia, masticava la sua biada, e al suo fianco il puledrino scherzava infantilmente : questa scena di felicità domestica morse d'invidia il cuore di Andrea. A un passo dai due cavalli, sopra una coperta rossiccia stesa sul suolo battuto, sedeva Anacleto, in compagnia di un giovane militare dalla testa tonda e rapata, che suonava la chitarra. Oltre a costoro, nella stalla non c'era nessun altro, e ciò fu di sollievo ad Andrea : — Anacleto! — egli chiamò a voce bassa e infervorata, — esci un momento, devo parlarti !

Sorpreso da quell'apparizione come da un fantasma, Anacleto prontamente balzò su, e corse fuori; mentre che il militare, per nulla incuriosito, rimaneva seduto a ricercare un motivo sul suo strumento, come se, presentemente, questo fosse il suo massimo interesse sulla terra.

et cela rendait l'entreprise beaucoup plus ris-
quée et douteuse. Andrea, incertain sur le parti à
prendre, demeura quelques minutes caché derrière le mur de la maison. En dépit des circonstances dramatiques, son oreille écoutait avec
plaisir la chanson d'amour chantée par les deux
voix, et les notes de la guitare. Enfin, décidé à
affronter toutes les conséquences possibles de
son audace, il s'approcha de la fenêtre éclairée.

Une lampe à pétrole, suspendue à une poutre
de la mangeoire, répandait à l'intérieur une belle
lumière claire. La jument, avec sa tête penchée
sur la mangeoire, mastiquait son avoine, et le long
de son flanc, le petit poulain jouait comme un
enfant : cette scène de bonheur domestique serra
d'envie le cœur d'Andrea. À un pas des deux chevaux, Anacleto était assis sur une couverture rougeâtre étendue sur le sol battu, en compagnie
d'un jeune militaire, à la tête ronde et rasée, qui
jouait de la guitare. En dehors de ces deux garçons, il n'y avait personne d'autre, dans l'écurie,
et cela fut un soulagement pour Andrea ; «Anacleto ! appela-t-il, d'une voix basse et animée, sors
un moment, je dois te parler ! »

Surpris par cette apparition comme par un fantôme, Anacleto se dressa rapidement, et courut
au-dehors, tandis que le militaire, nullement intri-
gué, restait assis en train de chercher un air sur
son instrument, comme si, à ce moment, c'était
là son principal intérêt sur cette terre.

Traendo l'amico al riparo dietro il muro della casa, Andrea gli spiegò d'essere uscito dal Collegio di nascosto perché doveva, con la massima urgenza, recarsi in città per incontrare una persona. Questo incontro gli importava piú della vita, ma non poteva mostrarsi in città vestito da pretino. Voleva, Anacleto, prestargli i suoi vestiti? Non oltre la mezzanotte, rientrando in collegio, Andrea glieli avrebbe riportati, e ripreso la propria tonaca. — E se i padri nel frattempo si accorgono della tua sparizione? — Allora lascerò il Collegio per sempre. Ma sta' sicuro, nulla potrà far uscire il tuo nome dalle mie labbra, nemmeno una tortura medievale!

Immaginando un romanzo d'amore, Anacleto si dispose a favorire l'amico. Però, egli non aveva addosso che i pantaloni, dalla cintola in su era nudo. Gli altri suoi panni, li aveva in camera, ma non sarebbe prudente andare a prenderli, col pericolo di svegliare la famiglia, soprattutto la sorella (che era una curiosa). Fu deciso di consultare il militare chitarrista, il quale era un fidato amico di Anacleto, venuto a trascorrere con lui le ultime ore della sua licenza, che scadeva all'alba. Questo giovanotto, di cui la cortesia fu pari alla discrezione, si chiamava Arcangelo Giovina, ma veniva chiamato Gallo per i suoi riccioli rossi che gli facevano sul capo un ciuffo spavaldo, come una cresta.

Après avoir entraîné son ami à l'abri derrière le mur de la maison, Andrea lui expliqua qu'il était sorti du Collège en cachette parce qu'il devait, avec la plus grande urgence, se rendre en ville pour rencontrer une personne. Cette rencontre lui importait plus que la vie, mais il ne pouvait se montrer en ville habillé en séminariste. Anacleto accepterait-il de lui prêter ses vêtements? Avant minuit, en rentrant au collège, Andrea les lui rapporterait, et reprendrait sa soutane. «Et si, dans l'intervalle, les Pères s'aperçoivent de ta disparition? — Alors je quitterai le Collège pour toujours. Mais tu peux être tranquille, rien ne pourra faire sortir ton nom de mes lèvres, pas même une torture médiévale!»

Imaginant un roman d'amour, Anacleto se disposa à satisfaire son ami. Cependant, il ne portait sur lui que son pantalon, et, au-dessus de la taille, il était nu. Ses autres vêtements se trouvaient dans sa chambre, mais il aurait été imprudent d'aller les chercher, au risque de réveiller sa famille, et surtout sa sœur (qui était une curieuse). On décida de consulter le militaire guitariste; c'était un ami digne de confiance, venu passer avec Anacleto les dernières heures de sa permission, qui se terminait à l'aube. Ce jeune homme, dont la courtoisie fut égale à la discrétion, s'appelait Arcangelo Giovina, mais on l'appelait Gallo (le coq) à cause de ses boucles rousses qui faisaient sur sa tête une touffe hardie, comme une crête.

Però, come s'è detto, presentemente egli s'era fatto radere le chiome, affinché gli rinascessero piú belle col favore dell'estate.

Da vicino, alla luce della lampada a petrolio, la sua testa rotonda, dai tratti infantili, appariva già ricoperta d'una leggera lanugine rossa. Questo particolare, chissà perché, riempí il cuore d'Andrea di fiducia e di confidenza. Udite le sue difficoltà, spontaneamente Gallo gli offerse in prestito la propria camicia militare, ch'era di quelle camicie di tipo americano, di tessuto coloniale, allora in uso nel nostro esercito. Sebbene Andrea, in quegli ultimi tempi, fosse assai cresciuto di statura, e né Gallo né Anacleto, da parte loro, non fossero certo due giganti, tuttavia i pantaloni di Anacleto, e soprattutto la camicia coloniale erano di una misura un poco eccessiva per Andrea. I pantaloni, poi, erano di una tela campagnola cosí dura che potevano, come si dice, tenersi in piedi da soli. Ma nelle presenti circostanze sarebbe stato ingratitudine, da parte di Andrea, preoccuparsi di simili fatuità.

Fu stabilito che Andrea lascerebbe la propria tonaca in un certo capanno di paglia a duecento metri circa dalla casa, dove, al ritorno, potrebbe nuovamente indossarla, al posto degli abiti imprestati. Questi, poi, ripassando davanti alla stalla, li lascerebbe cadere per la inferriata nell'interno, senza disturbare il sonno di Gallo e di Anacleto, che dovevano alzarsi alle quattro.

Cependant, comme on l'a dit, il s'était présentement fait raser ses mèches, pour qu'elles repoussent plus belles à la faveur de l'été.

De près, à la lueur de la lampe à pétrole, sa tête ronde, aux traits enfantins, apparaissait déjà recouverte d'un léger duvet roux. Ce détail, Dieu sait pourquoi, remplit le cœur d'Andrea de confiance et de familiarité. Quand il eut appris ses difficultés, Gallo proposa spontanément de lui prêter sa propre chemise d'uniforme, qui était de ces chemises de type américain, en toile «coloniale», alors en usage dans notre armée. Bien qu'Andrea eût beaucoup grandi les derniers temps, et que d'autre part, ni Gallo ni Anacleto ne fussent assurément des géants, les pantalons d'Anacleto et surtout la chemise coloniale étaient pourtant d'une taille un peu trop grande pour Andrea. De plus, les pantalons étaient d'une toile de campagne si raide, qu'ils pouvaient, comme on dit, tenir debout tout seuls. Mais dans les circonstances présentes, cela aurait été de l'ingratitude, de la part d'Andrea, que de se préoccuper de semblables vétilles.

Il fut établi qu'Andrea laisserait sa soutane dans une certaine grange à foin, à deux cents mètres environ de la maison, où, à son retour, il pourrait l'enfiler à nouveau, à la place des vêtements prêtés. Quant à ces derniers, il les laisserait tomber à l'intérieur par la grille, quand il repasserait devant l'écurie, sans déranger le sommeil de Gallo et d'Anacleto qui devaient se lever à quatre heures.

Non eran forse passati neppure tre quarti d'ora dalla sua fuga, allorché Andrea, nel suo travestimento, s'inoltrò per le viuzze poco illuminate della città. S'incontrava solo qualche raro passante, et, fra costoro, Andrea sceglieva quelli d'aspetto piú benigno per farsi indicare la strada. Suonavano le undici quando si trovò dinanzi all'ingresso del Teatro.

Ecco, dunque, le fatali porte che il suo proprio decreto gli aveva reso inaccessibili durante tutta la sua vita, fino ad oggi! A dispetto del suo odio, e della sua negazione, i loro misteri avevano dominato la sua infanzia. La sua fantasia disubbidiente gli aveva fatto intravvedere, al di là, dei miraggi straordinari; i quali, sebbene ricacciati mille volte con disdegno, si riaccendevano sempre alla parola *teatro*. Istoriato e sfavillante come un duomo orientale; popoloso come una piazza nella festa dell'Epifania; signorile come un feudo; e di nessuno dimora, mai, come l'Oceano! Ah, povero Andrea Campese! Cosí armato, invincibile ti appariva il teatro, che, davanti a un simile rivale, il cuore, provocato ai grande combattimento, ricorse alla fortezza suprema del Paradiso!

Sulla porta, un'insegna luminosa, un poco guasta, diceva T ATR GLORIA. Ai due lati dell'ingresso, erano in mostra le fotografie degli artisti; fra i quali il collegiale fuggitivo con un ritorno del solito batticuore, nuovamente riconobbe Febea.

Trois quarts d'heure à peine s'étaient écoulés depuis sa fugue, et Andrea s'avançait dans son déguisement à travers les ruelles mal éclairées de la ville… Il ne rencontrait que quelques rares passants ; parmi ceux-ci, Andrea choisissait ceux dont l'aspect était le plus bienveillant pour se faire indiquer son chemin. Onze heures sonnaient lorsqu'il se trouva dans l'entrée du théâtre.

C'étaient donc là les portes mystérieuses que son propre décret lui avait rendues inaccessibles durant toute sa vie, jusqu'à ce jour ! En dépit de sa haine et de son refus, leurs mystères avaient dominé son enfance. Son imagination désobéissante lui avait fait entrevoir, au-delà, des mirages extraordinaires ; et ceux-ci, bien que mille fois chassés avec dédain, se rallumaient toujours au mot *théâtre*. Étincelant et décoré comme une mosquée d'Orient, peuplé comme une place à la fête de l'Épiphanie, noble comme un château féodal, et sans repos, jamais, comme l'océan ! Ah ! pauvre Andrea Campese ! Le théâtre te semblait si invincible, si bien armé que, devant un semblable rival, ton cœur, provoqué au grand combat, recourut à la forteresse suprême du Paradis !

Au-dessus de la porte, une enseigne lumineuse, un peu abîmée, indiquait : T ATR GLORIA. Sur les deux côtés étaient exposées les photographies des artistes ; parmi celles-ci, le collégien fugitif reconnut à nouveau Febea, et ses battements de cœur reprirent de plus belle.

La si vedeva in duplice aspetto : una fotografia
ritraeva la sua figura intera, con una gamba scoperta fino all'anca, e la caviglia ingioiellata; e
un'altra solo la testa, sorridente, con un fiore
all'orecchio e sui capelli un merletto nero.

Il vestibolo del teatro, illuminato da un polveroso globo elettrico, e senz'altro ornamento che
un paio di chiassosi manifesti alle pareti, era interrotto, verso il fondo, da una ringhiera di legno. Al
di là di questa, presso una minuscola porta a due
battenti, stava dritta una graziosa ragazza sui
diciott'anni, recante in testa una specie di berrettino militare, sul quale era scritto, a lettere d'oro :
Teatro Gloria. Di sotto il berrettino, le scendevano fin quasi alle spalle dei bei capelli bruni,
tutti a onde e ricci naturali, e le sue gambe nude,
benché sviluppate et robuste, erano di un colore
fresco e rosa, come le gambe dei bambini. Stretta
nel suo vestito di raso artificiale color ciliegia,
dentro il quale pareva esser troppo cresciuta, ella
aveva un atteggiamento marziale e disdegnoso,
come i guardaportone dei Palazzi Reali. Di tanto
in tanto, spiava curiosa fra i battenti della porticina (donde si facevano udire fin nella strada can-
zoni, batter di tacchi, e suoni di vari strumenti).
Oppure si dava a passeggiare su e giú dietro la ringhiera di legno, e sbadigliava senza discrezione,
come fanno le gatte.

On la voyait sous un double aspect : une photographie reproduisait son image tout entière, avec une jambe découverte jusqu'à la hanche et une cheville chargée de bijoux ; et une autre ne montrait que sa tête, souriante, avec une fleur sur l'oreille, et, sur les cheveux, une dentelle noire.

Le hall du théâtre, illuminé par un globe électrique poussiéreux, et sans autre ornement que quelques affiches bariolées contre les murs, était coupé, vers le fond, par une balustrade en bois. Au-delà de celle-ci, et près d'une minuscule porte à deux battants, se tenait debout une gracieuse jeune fille, de dix-huit ans environ, qui portait sur la tête une sorte de calot militaire, sur lequel était inscrit, en lettres d'or : *Théâtre Gloria.* Au-dessous de son calot, descendaient presque jusque sur ses épaules de beaux cheveux bruns, tout en ondulations et en boucles naturelles ; et ses jambes nues, bien que développées et robustes, étaient d'une couleur fraîche et rose, comme les jambes des enfants. Serrée dans sa robe de satin artificiel, couleur cerise, dans laquelle elle semblait avoir trop grandi, elle avait une attitude martiale et dédaigneuse, comme les militaires de garde à la porte du Palais Royal. De temps en temps, elle épiait avec curiosité entre les battants de la petite porte (à travers lesquels on entendait jusque dans la rue des chansons, des claquements de talons, et le son de divers instruments). Ou bien elle s'occupait en allant et venant derrière la balustrade de bois, et bâillait sans discrétion, comme font les chattes.

Non c'era nessun altro che lei, nel vestibolo del teatro. Lo sportello del botteghino era chiuso, e il botteghino deserto. Sul vetro dello sportello era incollato il cartello dei prezzi, e solo in tale istante, vedendo quel cartello, Andrea si ricordò che per entrare nei teatri bisogna comperare il biglietto, e che lui non aveva addosso nemmeno una lira.

Egli avanzò con passo risoluto verso la ragazza, ma, nonostante la sua volontà di dominarsi, tremava come fosse al cospetto del Papa.

— Si entra di qui nel teatro? — domandò, con una alterigia tale, che lo si poteva credere il padrone del teatro stesso, e dei maggiori teatri del Continente.

— Per entrare, ci vuole il biglietto, — rispose la ragazza, di là dalla ringhiera, — ce l'hai, il biglietto?

Andrea si fece rosso come il fuoco, e aggrottò la fronte.

— No? Allora non c'è niente da fare. La vendita è chiusa! — dichiarò la ragazza. Poi, vedendo l'espressione turbata, ma ostinata, di Andrea, soggiunse, in tono di degnazione protettiva: — E a quest'ora, poi, nemmeno ti converrebbe la spesa. Fra quaranta minuti finisce lo spettacolo!

Quel tono offese Andrea: — Non me ne curo, io, se finisce fra quaranta minuti, — rispose aggressivamente. — Io non sono mica uno del pubblico, se volevo, io, potevo entrare senza biglietto, fin dall'inizio della rappresentazione!

Il n'y avait personne d'autre qu'elle, dans le hall du théâtre. Le guichet des billets était fermé et le bureau lui-même était désert. Sur la vitre du guichet était collé le tarif des entrées : à ce moment seulement, lorsqu'il vit cette pancarte, Andrea se souvint que pour entrer dans les théâtres, il faut acheter un billet, et qu'il n'avait pas même une lire sur lui.

Il s'avança d'un pas résolu vers la jeune fille, mais, malgré sa volonté de se dominer, il tremblait comme s'il avait été en présence du Pape.

« C'est par ici que l'on entre dans le théâtre ? » demanda-t-il d'un air tellement hautain qu'on aurait pu le prendre pour le propriétaire de ce théâtre et des principaux théâtres du continent.

« Pour entrer, il faut un billet, répondit la jeune fille, de l'autre côté de la balustrade. Est-ce que tu l'as, ton billet ? »

Andrea devint rouge comme la braise, et fronça les sourcils.

« Non ? Alors, il n'y a rien à faire. La vente est terminée ! » déclara la jeune fille. Puis, voyant l'expression troublée, mais obstinée d'Andrea, elle ajouta, sur un ton de condescendance protectrice : « Et, à cette heure-ci, cela n'en vaudrait même pas la dépense. Le spectacle s'achève d'ici quarante minutes ! »

Ce ton offensa Andrea : « Cela m'est bien égal, si cela finit d'ici quarante minutes, répondit-il d'un air agressif. Je ne suis pas quelqu'un du public ; si j'avais voulu, j'aurais pu entrer sans billet, dès le début de la représentation !

— E chi sei, tu, la Pattuglia, per entrare senza biglietto? Chi sei? L'Ispettore Capo?

— Di che si impiccia, Lei?

— Io! Ma senti che commedia! Di che m'impiccio io! Mi impiccio di farvi sapere che per passare di qui ci vuole il biglietto. Voi, se non avete il biglietto, favoritemi il prezzo, lire centocinquanta. Stiamo a vedere, adesso. Eh, il Signore deve aver dimenticato a casa il portafogli, e anche il libretto degli *scek*.

— Io conosco un'artista del teatro, la signora Febea!

— *Voi* la conoscete! E l'artista *vi* conosce, *vi* conosce, a *voi*?

— Mi conosce a memoria, da un secolo! Provi a dirle che sono qua io, e vedrà se non dice di farmi entrare subito, ai primi posti!

— Oh, vi credo senz'altro! Si capisce al primo sguardo che siete un *viverre*. Magari a quest'ora pensa proprio a voi, la vostra cantante! Vi do un consiglio. Perché non vi presentate su, ai camerini delle artiste? Se poi la vostra signora vi rimandasse indietro, tornate a consolarvi qui da me, che vi porto a vedere *Le avventure di Topolino*.

— Essa mi ha dato appuntamento!

— Ah! In questo caso non fatela sospirare tanto. Guardate, non è di qui che dovete passare, ma dall'ingresso degli artisti, il primo portone a sinistra, sul vicolo.

— Et qui es-tu donc, pour entrer sans billet, la Patrouille ? Qui es-tu ? L'Inspecteur en chef ?

— De quoi vous mêlez-vous ?

— Moi ? Mais écoutez-moi cette comédie ! De quoi je me mêle ? Je me mêle de vous faire savoir que pour passer par ici, il faut un billet… Vous, si vous n'avez pas de billet, donnez-moi l'argent de l'entrée, cent cinquante lires. Maintenant, on va bien voir. Eh ! Monsieur doit avoir oublié son portefeuille chez lui, et aussi son carnet de *chèques*.

— Je connais une artiste du théâtre, Mme Febea !

— *Vous* la connaissez ! Et est-ce que l'artiste *vous* connaît, *vous* ?

— Elle me connaît par cœur, depuis un siècle ! Essayez donc de lui dire que je suis là, et vous verrez bien si elle ne dit pas de me faire entrer tout de suite, aux meilleures places !

— Oh, je vous crois bien, allez ! Ça se voit au premier coup d'œil, que vous êtes un *viveur*. Je parie qu'en ce moment, elle est en train de penser à vous, votre chanteuse ! Je vais vous donner un conseil. Pourquoi est-ce que vous ne montez pas dans les loges des artistes ? Comme ça, si votre dame vous envoie promener, revenez vous consoler ici avec moi, et je vous emmènerai voir *Les aventures de Mickey*.

— Elle m'a donné rendez-vous !

— Oh, alors, dans ce cas, ne la faites pas tant soupirer ! Regardez, ce n'est pas par ici que vous devez passer, mais par l'entrée des artistes, la première porte à droite, dans l'impasse.

C'è il portinaio che prima faceva il guardiano dei carcerati. Lui li capisce subito, i tipi di signori che hanno fortuna con le artiste. Vi farà salire senza nemmeno chiedere informazioni!

— Io ho appuntamento! — mentí ancora, in tono di altera protesta, Andrea, il nemico della menzogna.

— E di nuovo insiste! *Lui* ha appuntamento! Con la *Signora Febea*! Per questo vi siete vestito cosí elegante, stasera? Voi spopolerete il teatro! che per venire all'appuntamento, avete rubato i pantaloni a vostro padre, e la camicia a un Americano!

Costei, maligna com'era, forse aveva già capito ch'egli era un evaso, e magari si preparava a denunciarlo. Non rimaneva che allontanarsi, allontanarsi subito!

Gli occhi di Andrea lanciarono sulla ragazza un ultimo sguardo sprezzante e impavido, ma lei s'avvide che, nel tempo stesso, il mento gli tremava. Allora, fu presa quasi da rimorso, ma era troppo tardi per rimediare, ormai. Quel nottambulo spaccone le aveva voltato le spalle senza piú risponderle, e in un attimo era sparito.

Deciso, nonostante tutto, a trovare Febea, come uscí dall'ingresso principale del teatro Andrea volse a sinistra, in un vicolo mal pavimentato e senza fanali: dove subito gli apparve il portoncino indicato dalla ragazza.

Il y a un concierge, qui était autrefois gardien de prison. Lui, il devine tout de suite le genre de gens qui ont de la chance avec les artistes. Il vous fera monter sans même vous demander de renseignements !

— J'ai rendez-vous, mentit encore une fois Andrea, l'ennemi du mensonge, sur un ton de protestation hautaine.

— Et il insiste encore ! *Monsieur* a rendez-vous ! Avec *Madame Febea* ! C'est pour ça que vous vous êtes mis si élégant, ce soir ? Vous allez faire des ravages dans le théâtre ! Hein, pour venir à votre rendez-vous, vous avez volé les pantalons de votre père, et la chemise d'un Américain ! »

La fille, maligne comme elle l'était, avait peut-être déjà deviné qu'il était un fugitif, et peut-être se préparait-elle à le dénoncer. Il ne lui restait qu'à s'éloigner, à s'éloigner au plus vite !

Les yeux d'Andrea lancèrent sur la jeune fille un dernier regard méprisant et intrépide, mais elle s'aperçut qu'en même temps, son menton tremblait. Elle fut alors presque prise de remords, mais il était trop tard désormais pour faire quelque chose. Ce noctambule fanfaron lui avait tourné le dos sans plus lui répondre, et, en un instant, il avait disparu.

Décidé, malgré tout, à trouver Febea, Andrea quitta l'entrée principale du théâtre, et tourna à gauche, dans une ruelle mal pavée et sans éclairage ; il y trouva aussitôt la petite entrée indiquée par la jeune fille.

Era il solo aperto, in quell'ora della notte, e lasciava intravvedere, in fondo a un androne, una vecchia scala semibuia; sulla destra dell'androne, dietro una porticina dai vetri rotti e rappezzati con carta di giornale, si scorgeva un portinaio-ciabattino, intento a ribatter suole in uno stambugio, alla luce di una lampada che dal soffitto scendeva quasi sul suo deschetto. La fisionomia di quest'uomo parve, ad Andrea, spaventosa.

Egli si appiattí contro il muro del palazzo, a lato del portoncino, cosí da rimaner nascosto alla vista di colui. Non aveva animo di presentarsi a quell'antico aguzzino delle galere; e che fare, allora? Aspettare, nascosto là nel vicolo, l'uscita degli artisti? Ma Andrea diffidava della ragazza dal berrettino: non era forse possibile che colei gli avesse mentito? che lo avesse indirizzato a questo portoncino per beffarlo, e per liberarsi di lui, o magari per farlo cadere in una trappola?

Dal vicolo, si vedeva il selciato della piazzetta adiacente, sul quale la scritta luminosa del teatro gettava un chiarore azzurrognolo. Dall'interno del teatro giungeva un'eco affiochita di suoni e di canti e Andrea, col cuore stretto dalla gelosia, paragonava la festa che ferveva dietro quelle mura alla tenebra minacciosa del vicolo. Nessuno passò di là: eccetto una grossa cagna pastora, sviatasi forse dal suo gregge che migrava fuori dalla città, nella notte.

C'était la seule porte ouverte, à cette heure de la nuit, et elle laissait entrevoir, au fond d'un vestibule, un vieil escalier à demi plongé dans l'obscurité; sur la droite du vestibule, derrière une petite porte aux vitre cassées et réparées avec du papier journal, on apercevait un concierge-cordonnier, occupé à taper sur des semelles dans un appentis, à la lumière d'une lampe qui descendait du plafond, presque jusque sur son établi. La physionomie de cet homme lui parut effrayante.

Andrea s'aplatit contre le mur de l'édifice, à côté de la petite porte d'entrée, de façon à rester caché à la vue de cet homme. Il n'avait pas le courage de se présenter devant cet ancien geôlier de bagne; et alors, que faire? Attendre, caché dans cette ruelle, la sortie des artistes? Mais Andrea se méfiait de la jeune fille au calot: n'était-il pas possible qu'elle lui ait menti? qu'elle l'ait dirigé vers cette porte pour se moquer de lui, et pour se débarrasser de lui, ou même pour le faire tomber dans un piège?

De la ruelle on voyait le pavé de la petite place voisine, sur laquelle l'enseigne lumineuse jetait une clarté bleuâtre. De l'intérieur du théâtre venait un écho affaibli de sons et de chants, et Andrea, le cœur serré de jalousie, comparait la fête qui régnait derrière ces murs avec les ténèbres menaçantes de l'impasse. Personne ne passa par là sauf une grosse chienne de berger, peut-être isolée de son troupeau qui transhumait, au-dehors de la ville, dans la nuit.

La cagna intese subito, senza farselo dire, che Andrea voleva tenersi nascosto. Guardandosi dall' abbaiare e dal far chiasso, girò intorno a lui piena di sollecitudine, quasi ad offrirgli protezione. E poi si sedette sulle proprie zampe posteriori, di fronte a lui, e rimase a contemplarlo in silenzio, con aria complice, agitando gaiamente la coda. Andrea pensò : «Questo cane, magari, sarebbe contento di avermi per padrone, com'io sarei contento di averlo. Potremmo essere felici insieme! e invece, è impossibile. Non sappiamo niente uno dell'altro, e fra poco saremo di nuovo divisi, e non ci incontreremo mai piú!» Egli schioccò, senza rumore, le dita, e la cagna, comprendendo la sua intenzione, subito gli si accostò, e curvò la sua testona bianca per farsela accarezzare. Poi leccò in fretta, amorosamente, la mano di Andrea, e questo parve il suo saluto : infatti, subito dopo, chiamata dai suoi sconosciuti doveri, dileguò nella notte.

La sua partenza lasciò Andrea nella nostalgia piú tormentosa. Egli pensava ai padri, che, lassú in collegio, vegliavano in preghiera nelle loro celle; pensava ai compagni, fra i quali due o tre in particolare gli eran cari piú di tutti gli altri (anche a costoro, tuttavia, egli aveva tenuto nascosto il proprio disegno di fuga); e paragonò questi facili affetti a quell'eterna, impossibile amarezza che oggi gli si nascondeva sotto il finto nome di : Febea!

Sans qu'il fût nécessaire de rien dire, la chienne comprit aussitôt qu'Andrea voulait rester caché. En se gardant bien d'aboyer et de faire du bruit, elle tourna tout autour de lui avec sollicitude, comme pour lui offrir sa protection. Puis elle s'assit sur ses pattes de derrière, devant lui, et resta à le contempler en silence, d'un air complice, en agitant gaiement la queue. Andrea pensa : «Ce chien serait peut-être content de m'avoir pour maître, de même que je serais content de l'avoir à moi. Nous pourrions être heureux ensemble! et pourtant, c'est impossible. Nous ne savons rien l'un de l'autre, et nous allons bientôt être de nouveau séparés, et nous ne nous rencontrerons jamais plus.» Il claqua les doigts sans bruit, et la chienne, comprenant son intention, s'approcha aussitôt de lui, et baissa sa grosse tête blanche pour se faire caresser. Puis elle lécha à la hâte, amoureusement, la main d'Andrea, et cela parut être son salut : en effet, aussitôt après, appelée par ses devoirs inconnus, elle disparut dans la nuit.

Son départ laissa Andrea en proie à la nostalgie la plus torturante. Il pensait aux Pères, qui, là-bas au collège, veillaient en prière dans leur cellule; il pensait à ses compagnons, parmi lesquels deux ou trois en particulier lui étaient plus chers que tous les autres (cependant, à ceux-là même il avait tenu caché le projet de sa fugue) ; et il compara ces affections faciles à l'éternelle, à l'impossible amertume qui ce jour-là se cachait à lui sous ce faux nom de Febea!

Un selvaggio sentimento di condanna, come ad un bandito senza promessa di riscatto, gli oscurò la mente. In quel punto, si udí dal campanile un unico tocco : mancavano cinque minuti alle undici e mezza! Fra un quarto d'ora lo spettacolo era finito, e Andrea fu preso dal timore che le artiste potessero uscire da un'altra parte del teatro senza ch'egli le vedesse. Gettò un'occhiata, di sbieco, verso la guardiòla illuminata : il portinaio-ciabattino stava curvo sul deschetto, un paio di bullette fra le labbra serrate, tutto intento a battere una suola. Senza piú esitare Andrea s'infilò rapidamente nell'androne, raggiunse la scala, e là rimase fermo un istante, col fiato sospeso. Nessun segno di vita dalla guardiòla : il portinaio non l'aveva visto!

Confidando di scoprire una qualche via per i camerini degli artisti, Andrea corse su per la scala. Appena sul primo pianerottolo, vide la luce filtrare attraverso un uscio socchiuso. Spinse il battente, e si trovò in un altissimo stanzone male illuminato, col pavimento di assi. V'erano là : una motocicletta appoggiata alla parete; un mucchio di tavole su cui giaceva rovesciato un riflettore spento; una specie di enorme paravento di cartone, con su dipinta una coppia di draghi; e una torretta quadrata di legno, alta forse tre metri, e priva di un lato : la quale issava in cima un piccolo stendardo rosso, inscritto a caratteri orientali.

Un sentiment sauvage de condamnation, comme pour un bandit sans espoir de rachat, assombrit son esprit. À ce moment-là, la sonnerie unique d'une cloche se fit entendre du campanile : il était onze heures vingt-cinq ! Un quart d'heure plus tard, le spectacle serait fini, et Andrea fut pris par la crainte que les artistes n'eussent la possibilité de sortir par un autre côté du théâtre sans qu'il les vît. Il jeta un coup d'œil, de biais, vers la loge éclairée ; le concierge-cordonnier était penché sur son établi, une poignée de pointes serrées entre les lèvres, tout occupé à taper sur une semelle. Sans hésiter davantage, Andrea se glissa rapidement dans le vestibule, atteignit l'escalier, et resta là un instant, le souffle coupé. Aucun signe de vie dans la loge : le portier ne l'avait pas vu !

Comptant découvrir un chemin quelconque pour atteindre les loges des artistes, Andrea monta les escaliers en courant. Dès le premier palier, il vit de la lumière filtrer sous une porte entrouverte. Il poussa le battant, et se trouva dans une très haute pièce mal éclairée, avec un plancher de bois. Il y avait là une motocyclette appuyée contre le mur, un tas de planches sur lequel était renversé un projecteur éteint ; une espèce d'énorme paravent de carton sur lequel étaient peints deux dragons, et une petite tour carrée en bois, haute de trois mètres peut-être, et dont un côté manquait : à son sommet était hissé un petit étendard rouge, avec une inscription en caractères orientaux.

Lo stanzone appariva deserto; ma s'udiva di dietro un tramezzo un operaio invisibile picchiare con un martello. Queste martellate provvidenziali coprirono il rumore dei passi di Andrea; il quale poté giungere inavvertito in fondo allo stanzone. Qui, si trovò di fronte una gran porta, con la serranda abbassata, oltre la quale si udivano delle voci. Mentre che, sul lato sinistro, gli si offerse un ponticello di tavole inclinate, che saliva fino a un soppalco. Evitando la grande porta, Andrea si spinse in fretta sul soppalco; dove, attraverso un usciòlo foderato di sughero, che s'aprí senza rumore, si ritrovò sospeso in uno stretto pianerottolo, fra due scalette di legno : la prima in salita, e la seconda in discesa. Affidandosi al caso, egli prese la seconda, e a questo punto incominciò a udire distintamente un canto sincopato di donna, un suono di strumenti e un confuso brusio.

Fu preso, allora, da una commozione cosí straordinaria, che quasi lo abbandonavano le forze. Scendendo, incontrò due porte verniciate di verde. Una, che pareva chiusa dall'interno, non portava nessuna indicazione. L'altra, proprio in fondo alla scala, a due battenti accostati, recava un cartello stampato con la parola : *Silenzio.*

Egli si insinuò fra i due battenti; e là, sotto di lui, non piú divisa da lui che da pochi scalini felpati, vide aprirsi la sala stessa dello spettacolo !

La grande pièce semblait déserte ; mais on entendait derrière une cloison un ouvrier invisible taper avec un marteau. Ces coups providentiels couvrirent le bruit des pas d'Andrea, qui put gagner l'extrémité de la grande pièce sans se faire remarquer. Il se trouva là en face d'une grande porte, avec un rideau baissé, derrière laquelle on entendait des voix, tandis que, sur le côté gauche, un petit pont en planches inclinées, qui montait jusqu'à une soupente, se présenta à sa vue. Andrea, évitant la grande porte, passa rapidement dans la soupente, où, à travers une petite porte doublée de liège, qui s'ouvrit sans bruit, il se retrouva arrêté sur un étroit palier, entre deux petits escaliers de bois ; le premier montait, le second descendait. En se confiant au hasard, il prit le second, et à ce point il commença à entendre distinctement le chant syncopé d'une femme, des sons d'instruments et un bruissement confus.

Il fut pris alors par une émotion si extraordinaire que ses forces étaient sur le point de l'abandonner. En descendant, il rencontra deux portes peintes en vert. L'une, qui semblait fermée de l'extérieur, ne portait aucune indication. L'autre, tout au bout de l'escalier, avec ses deux battants joints, portait un écriteau imprimé avec ce mot : *Silence.*

Il se faufila entre les deux battants ; et là, au-dessous de lui, tout juste séparée de lui par quelques marches feutrées, il vit s'ouvrir la salle de spectacle elle-même !

Il suo primo istinto fu d'indietreggiare. Ma nessuno badava a lui. Rapido, ad occhi bassi, discese i gradini, e, trovata subito una sedia vuota sul margine della fila, vi si rannicchiò. Il suo vicino, un uomo robusto, in maniche di camicia, gli gettò appena un'occhiata indifferente.

L'aria, nella platea affollata, era afosa, densa di fumo di sigarette; e i lumi erano tutti spenti, ma il riquadro acceso della scena rischiarava col suo splendore tutta la sala, fino alle ultime file di sedie. Per piú d'un minuto, Andrea non ardí levar gli occhi verso la scena. In quel punto luminoso, una donna alternava i moti d'una danza con delle battute di canto; e quella voce s'era fatta subito riconoscere da lui non agli accenti, che gli sfuggivano, ma per una specie di allarme che il cuore gli aveva dato al primo udirla. Era il sentimento duplice di una possibilità felice, e di una negazione crudele: troppo noto a lui fin dai suoi primi anni perché lui potesse sbagliarsi. Andrea si domandava confuso che cosa ciò potesse significare, giacché sua madre era una ballerina, non una cantante: non gli aveva mai fatto sapere che cantava in teatro!

Osò, finalmente, guardare dritto alla scena, e non ebbe piú dubbi. Ed ecco, sentí ritornare quella sua antica, orribile amarezza, che lui forse presumeva d'avere un poco domato!

Son premier instinct fut de reculer. Mais personne ne faisait attention à lui. Rapidement, les yeux baissés, il descendit les marches et, après avoir tout de suite trouvé une place libre au bout d'un rang, il s'y nicha. Son voisin, un homme robuste, en manches de chemise, lui jeta à peine un coup d'œil indifférent.

L'air, dans le parterre comble, était lourd, chargé de fumée de cigarettes; et les lumières étaient toutes éteintes, mais le carré éclairé de la scène illuminait de sa splendeur toute la salle, jusqu'aux dernières rangées de sièges. Pendant plus d'une minute, Andrea n'osa pas lever les yeux vers la scène. Dans ce point lumineux, une femme alternait les pas d'une danse avec des mesures de chant, et cette voix s'était aussitôt fait reconnaître de lui, non par ses accents qui lui échappaient mais à cause d'une sorte d'alerte que son cœur lui avait donnée aussitôt qu'il l'avait entendue. C'était le double sentiment d'une possibilité heureuse et d'une négation cruelle : il la connaissait trop bien depuis ses premières années pour pouvoir s'y tromper. Andrea se demandait avec confusion ce que cela pouvait signifier, car sa mère était une danseuse, non une chanteuse : elle ne lui avait jamais fait savoir qu'elle chantait au théâtre !

Il osa, enfin, regarder droit vers la scène, et il n'eut plus de doutes. Et voilà qu'il sentit revenir son ancienne, son horrible amertume, qu'il pensait peut-être avoir un peu domptée !

Sul palcoscenico, sola, c'era sua madre — Febea :
mai prima altrettanto amata, e mai con tanta evidenza irraggiungibile, come adesso!

In un abito d'eleganza mai vista, quale non è
dato d'indossare alle donne che s'incontrano su
questa terra, neppure alle piú ricche, ma solo alle
persone fantastiche delle pitture o delle poesie;
seguita, in ogni suo moto, da grandi cerchi di luce
che s'accendono per magnificare lei sola e fanno
sfolgorare i suoi occhi incavati, che sembrano
enormi! Essa è la gala suprema delle feste not-
turne, il suo nome misterioso è il vanto delle
strade e delle piazze. Quale altro artista potrebbe
reggere al suo confronto? Nessuno degli altri
cantanti e ballerini, dei quali il teatro espone il
ritratto, interessa Andreuccio. È molto s'egli ha
degnato i loro ritratti di uno sguardo appena :
coloro sono i poveri satelliti di Febea, l'effigie di
Febea, come il sole, occupa il centro dei manifesti! È lei l'unica mira degli uomini e delle donne,
i quali si accontentano di vederla dal basso, pur
senza che lei li conosca e li saluti! E chi è fra tutti
loro Andrea? un intruso, il quale potrebbe essere
espulso dalla sala per non aver comperato il
biglietto. Nessuno, certo, gli crederebbe (e lui
sarebbe da tutti beffato, come, pocanzi, dalla
ragazza del berrettino) se dicesse che, fino a pochi
anni or sono, lui viveva sotto lo stesso tetto con
Febea.

Sur la scène, seule, se trouvait sa mère — Febea :
jamais autant aimée auparavant, et jamais avec
une telle évidence, impossible à atteindre, comme
maintenant !

Dans un costume d'une élégance inouïe, qu'il
n'est pas donné de revêtir aux femmes que l'on
rencontre sur cette terre, pas même aux plus
riches, mais aux seuls personnages fantastiques
des peintures ou des poésies ; suivie, à chacun de
ses mouvements, par de grands cercles de lumière
qui s'allument pour la magnifier, elle toute seule,
et qui font étinceler ses yeux creusés qui semblent énormes ! Elle est l'éclat suprême des fêtes
nocturnes, son nom mystérieux est l'honneur
des rues et des places. Quel autre artiste pourrait
supporter de lui être comparé ? Aucun des autres
chanteurs et danseurs, dont le théâtre expose le
portrait, n'intéresse Andreuccio. C'est déjà beaucoup s'il a honoré leurs portraits d'un regard :
ils sont les pauvres satellites de Febea, et c'est
l'effigie de Febea, qui, comme le soleil, occupe le
centre des affiches ! Elle est l'unique point de
mire des hommes et des femmes, qui se conten-
tent de la voir d'en bas, sans même qu'elle les
connaisse et les salue ! Et, parmi eux, qui est
Andrea ? un intrus, qui pourrait être expulsé de
la salle pour n'avoir pas acheté son billet. Personne assurément ne le croirait (et tous se
moqueraient de lui, comme le faisait, peu de
temps auparavant, la fille au calot), s'il disait que,
quelques années plus tôt encore, il vivait sous le
même toit que Febea.

Che, fino a pochi mesi or sono, veniva da lei visitato in collegio, e riceveva da lei cartoline e lettere! Un simile passato, a lui medesimo, sembra adesso leggendario. Quella meravigliosa artista (egli non ardisce piú di pensare ch'è sua madre), da mesi ormai l'ha dimenticato, non risponde piú alle sue lettere, e non l'ha neppur cercato arrivando qui, nella stessa città dove lui abita! Del resto, è mille volte meglio cosí, lui vuole che sia cosí. Lui stesso ha respinto questa donna, lui stesso ha rifiutato di uscire a passeggio con lei, perché voleva finirla, con una simile madre! Il suo nemico era proprio il troppo splendore di lei, che usciva dalla casa, e illuminava tutta la gente, mentre che lui lo avrebbe voluto per sé solo. Cosí, è finita. Andrea Campese è figlio di nessuno, è finita.

E come ha potuto, senza vergogna, mentire, dicendo alla ragazza del berrettino di avere appuntamento con Febea! Lui sapeva benissimo di mentire non solo nei riguardi del vero, ma anche nei riguardi del possibile! È chiaro come il giorno, ormai, che Febea (tanta è la sua noncuranza verso Andrea Campese), pur se pregata, avrebbe rifiutato di concedergli appuntamento; e adesso, se chiamata a testimoniare dalla ragazza del berrettino, sarebbe pronta a smentire i vanti di lui;

Que, peu de mois auparavant il recevait ses visites au collège, et qu'elle lui envoyait des cartes postales et des lettres! Un tel passé lui semble maintenant légendaire, à lui aussi. Cette merveilleuse artiste (il n'a plus l'audace de penser qu'elle est sa mère) l'a désormais oublié depuis des mois, elle ne répond plus à ses lettres, et elle ne l'a même pas cherché en arrivant ici, dans la ville même où il habite! Du reste, c'est mille fois mieux ainsi, il veut lui-même qu'il en soit ainsi! C'est lui qui a repoussé cette femme, c'est lui-même qui a refusé d'aller se promener avec elle, parce qu'il voulait en finir, avec une mère pareille! Son ennemi, c'était précisément l'excès même de splendeur de sa mère, qui filtrait au-dehors de la maison, et éclairait tout le monde, tandis qu'il l'aurait voulu pour lui tout seul. Ainsi, c'est fini, Andrea Campese n'est le fils de personne, c'est fini.

Et comment a-t-il pu, sans honte, mentir et dire à la jeune fille au calot qu'il avait rendez-vous avec Febea! Lui, il savait bien qu'il mentait, non seulement par rapport à la vérité, mais même par rapport au possible! Il est clair comme le jour, désormais, que Febea (si grande est son indifférence envers Andrea Campese) même si elle en était priée, refuserait de lui accorder un rendez-vous; et maintenant, si la jeune fille au calot lui demandait son témoignage, elle serait prête à démentir ces vanteries;

e sarebbe fieramente annoiata di sapere che là, in
teatro, c'è quell'indiscreto, quel pretino travestito;
e se qualcuno le annunciasse, nel suo camerino:
«C'è qui fuori un certo Andrea, venuto a tro-
varvi», lei direbbe: «Chi? Andrea? Mai conosciuto. Ditegli *che non ricevo*, e fate che se ne vada.»

A questo punto delle sue considerazioni, Andrea
decise risolutamente di lasciare in fretta il teatro,
non appena calato il sipario, senza cercare di sua
madre né farle sapere che era stato qui; e di riat-
traversare correndo, solo nella notte, le strade e
le campagne fino al collegio. Se poi la sua fuga
sarà stata scoperta e i padri in conseguenza deci-
deranno la sua espulsione, egli se ne andrà in
Sicilia, e si presenterà a un capo brigante, per far
parte della sua banda.

Mi duole, ma proprio delle empietà di tale specie, né piú né meno, fu capace di pensare là, su
quella sedia usurpata del Teatro Gloria, colui che
aveva presunto, non molto tempo prima, d'essere
sulla via della santità!

Le immaginazioni, impadronitesi della sua
mente, presero una evidenza cosí crudele ch'egli
cominciò a singhiozzare. Non ebbe neppur con-
scienza, i primi istanti, d'essersi abbandonato a
una simile debolezza; e se ne rese conto d'un
tratto, con sua grandissima vergogna.

elle serait profondément ennuyée de savoir que
là, dans le théâtre, il y avait cet indiscret, ce petit
abbé déguisé : et si quelqu'un lui annonçait, dans
sa loge : « Il y a là, dehors, un certain Andrea, qui
est venu vous voir », elle dirait : « Qui ? Andrea ?
Je n'en ai jamais entendu parler. Dites-lui que *je
ne reçois pas*, et arrangez-vous pour qu'il s'en
aille. »

À ce point de ses considérations, Andrea décida
fermement de quitter le théâtre à la hâte, dès que
le rideau serait tombé, sans aller à la recherche
de sa mère, ni lui faire savoir qu'il était venu là ; et
de traverser à nouveau au pas de course, seul
dans la nuit, les rues et la campagne jusqu'au collège. Et puis, si sa fugue est découverte, et si les
Pères, en conséquence, décident son expulsion,
il s'en ira en Sicile et se présentera à un chef de
brigands, pour faire partie de sa bande.

Je le regrette, mais ce furent des impiétés de ce
genre, ni plus ni moins, que fut capable de penser, là, sur ce siège usurpé du Théâtre Gloria,
celui qui avait eu la présomption, peu de temps
auparavant, d'être sur la voie de la sainteté !

Les chimères qui s'étaient emparées de son
esprit prirent une évidence si cruelle qu'il se mit
à sangloter. Pendant les premiers instants, il n'eut
pas même conscience de s'être abandonné à une
semblable faiblesse ; et il s'en rendit compte tout
d'un coup, pour sa plus grande honte.

Quasi nel momento stesso, lo riscosse una risataccia insultante del suo vicino, ed egli si figurò, naturalmente, d'averla provocata lui, coi suoi singhiozzi disonoranti. Senonché, mille altre risatacce dello stesso tono risuonavano da ogni parte della sala. Possibile che il pubblico intero si fosse accorto del suo disonore? Nessuno, in verità, faceva attenzione ad Andrea Campese. Per la sala correva un brontolio crescente, dal fondo furono gridate delle frasi triviali e, ben presto, nel burrascoso rumoreggiare, la voce della cantante fu a mala pena udibile. Ella, tuttavia, seguitava a far finta di nulla, movendosi e cantando le sue battute secondo i ritmi dell'orchestrina, che seguitava a suonare. Andrea, da parte sua, tardava a capire che cosa avvenisse. Si udí un uomo gridare: — Basta! —, e un altro: — Basta! Va' a dormire! — Va' a vestirti! — Torna a casa, va' a lavarti la faccia! — Basta! Basta! — La vocina spaurita dell'artista non si udiva ormai piú sotto i fischi e i sibili; e soltanto adesso Andrea si rese conto che l'oggetto di quell'immane assalto era Febea! Egli balzò dalla sua sedia; e in quel momento stesso vide il pianista, giú nell'orchestrina, abbandonare le braccia lungo i fianchi, in atteggiamento rassegnato.

Presque au même instant, un ricanement insultant de son voisin le fit sursauter, et il se figura naturellement que c'était lui qui l'avait provoqué, avec ses sanglots déshonorants. Or mille autres ricanements, sur le même ton, résonnaient de tous les côtés de la salle. Était-il possible que toute la salle se fût aperçue de son déshonneur ? Personne, à vrai dire, ne faisait attention à Andrea Campese. À travers toute la salle courait un murmure croissant, des phrases triviales furent criées du fond, et, bien vite, dans le vacarme orageux, la voix de la chanteuse ne fut plus qu'à peine audible. Elle continuait cependant à faire comme si de rien n'était, tout en faisant ses pas et en chantant ses couplets sur le rythme du petit orchestre, qui continuait à jouer. Andrea, de son côté, tardait à comprendre ce qui se passait. On entendit un homme crier : « Assez ! » et un autre : « Assez ! Va te coucher ! » « Va te rhabiller ! » « Rentre chez toi, va te laver la figure ! » « Assez ! Assez ! » La petite voix apeurée de l'artiste ne s'entendait presque plus sous les sifflets et les huées ; et à cet instant seulement Andrea se rendit compte que l'objet de cet infâme assaut était Febea ! Il sauta de son siège ; et au même moment, il vit le pianiste, en bas dans l'orchestre, qui laissait tomber ses bras le long de son corps, dans une attitude de résignation.

A sua volta, il violinista, alzatosi, con gesto quasi rabbioso depose archetto e violino sulla sedia, mentre il suonatore di saxofono smetteva di soffiare e rimaneva là sospeso sul suo strumento, con una espressione interrogativa. Solo il suonatore di batteria seguitò ancora, per qualche istante, a battere il piatto e a premere sul pedale del tamburo, come estasiato nel suo proprio fracasso.

Febea rimase per qualche istante, ammutolita e immobile, nel mezzo della scena : poi d'un tratto voltò le spalle, e scomparve rapida dietro le quinte. Immediatamente, il telone si richiuse e le luci si riaccesero nella sala, mentre il pubblico in coro levava una esclamazione di sollievo ostentato, piú offensiva di tutti gli insulti precedenti. Scuro in volto, tremante di sdegno, Andrea stringeva i pugni, nella volontà confusa di affrontare qualcuno del pubblico, e di ammazzarlo ! Ma si trovò stretto e sospinto dalla folla che ingombrava i passaggi verso le uscite.

Con ira violenta, si difese da quella calca ; finché rimase isolato, fra gli ultimi, nella platea mezzo vuota. Sotto il soffitto basso della sala, la luce delle lampade elettriche metteva in mostra la brutta vernice delle pareti, che fingeva un marmo giallastro ; il pavimento di legno opaco, polveroso, sparso di mozziconi di sigarette e di cartacce ; e l'orchestra deserta, con le sedie sparse in disordine intorno al pianoforte chiuso e alla batteria.

À son tour, le violoniste se leva, et déposa d'un air presque furieux son archet et son violon sur sa chaise, tandis que le saxophoniste cessait de souffler et restait là, suspendu sur son instrument, avec une expression interrogative. Seul le batteur continua encore, pendant quelques instants, à taper sur la cymbale et à appuyer sur la pédale du tambour, comme extasié par son propre vacarme.

Febea demeura quelques instants muette et immobile au milieu de la scène : puis soudain elle tourna les épaules, et disparut rapidement derrière les décors. Immédiatement le rideau se referma, et les lumières se rallumèrent dans la salle, tandis que le public poussait en chœur une exclamation de soulagement affecté, plus offensante que toutes les insultes précédentes. Andrea, le visage sombre, tout tremblant de fureur, serrait les poings avec le désir confus d'affronter quelqu'un dans ce public, et de l'assommer ! Mais il se trouva serré et poussé par la foule qui encombrait les passages vers la sortie.

Avec une colère violente, il se défendit contre cette bousculade, jusqu'au moment où il se retrouva isolé, parmi les derniers, dans le parterre à moitié vide. Sous le plafond bas de la salle, la lumière des lampes électriques mettait en évidence la vilaine peinture des murs, qui imitait un marbre jaunâtre, le parquet de bois terne, poussiéreux, parsemé de mégots et de vieux papiers, et l'orchestre désert, avec des chaises éparses, en désordre, autour du piano fermé et de la batterie.

A lato dell'orchestra, una scaletta di legno conduceva sul palcoscenico. Andrea si precipitò su per quella scaletta, scostò il telone e attraversò la scena. Due inservienti, che smontavano le quinte, gli gridarono : — Ehi, tu, chi cerchi? — Egli alzò le spalle, e correndo andò a urtare contro un gruppo di ragazze vestite da marinaio, che posavano per una fotografia, nella luce accecante di un riflettore. — Ehi, che fretta! guarda dove cammini! — protestarono le ragazze, e il fotografo esclamò, irritato, ch'egli aveva guastato la fotografia, e gli lanciò dietro degli insulti. Finalmente, correndo a caso attraverso un disordine di casse vuote, cumuli di tavole e fondali di legno, egli si ritrovò su quel medesimo stretto pianerottolo donde era disceso nel teatro. Una ragazza con un grande cappello nero e le gambe nude scendeva la scala. — Per piacere, — egli domandò, — la signora Campese? — Chi? — La signora... Febea? — Ah, la Febea! Va' su per questa scala, è in camerino.

In cima alla scala, nel corridoio su cui davano i camerini, s'era raccolto un gruppetto di persone, che Andrea vide confusamente, troppo turbato per osservarle, o per ascoltare i loro discorsi. Gli giunsero però all'orecchio alcune frasi le quali, come succede, dovevano ritornare alla sua mente, e spiegargli il loro significato, soltanto qualche giorno piú tardi.

— Piange. — Eh, sí, dispiace, però si dovrebbe conoscere!

Sur le côté de l'orchestre, un petit escalier de bois conduisait sur la scène. Andrea se précipita en haut de cet escalier, écarta le rideau et traversa la scène. Deux employés, qui démontaient les décors, lui crièrent : « Eh ! toi, qui est-ce que tu cherches ? » Il haussa les épaules et alla se jeter en courant contre un groupe de filles costumées en marins, qui posaient pour une photographie dans la lumière aveuglante d'un projecteur. « Eh là, tu es bien pressé ! Regarde donc où tu marches ! » protestèrent les filles, et le photographe, furieux, s'écria qu'il avait gâché sa photo et lui lança une bordée d'injures. Enfin, après avoir couru au hasard à travers un désordre de caisses vides, de monceaux de planches et de décors en bois, il se retrouva sur le même étroit palier, d'où il était descendu dans le théâtre. Une jeune fille avec un grand chapeau noir et les jambes nues descendait l'escalier. « S'il vous plaît, demanda-t-il, Mme Campese ? — Qui ? — Mme... Febea ? — Ah, la Febea ! Monte par cet escalier, elle est dans sa loge. »

Au sommet de l'escalier, dans le couloir sur lequel donnaient les loges, s'était réuni un petit groupe de personnes, qu'Andrea vit confusément, car il était trop troublé pour les observer ou pour écouter leurs discours. Quelques phrases pourtant parvinrent à ses oreilles ; comme il arrive, elles ne devaient lui revenir à l'esprit et lui révéler leur sens que quelques jours plus tard.

« Elle pleure. » « Eh oui, c'est triste, pourtant elle devrait se connaître ! »

Non ha trovato nessuno che glielo dica? non si guarda allo specchio? Con quei fianchi sformati, che pare una vaccona, e quelle due gambine scheletrite, si presenta in maglia di seta aderente, per la *danza classica*, come fosse la Tumanova! Non ha orecchio, ha una voce che raschia, come una cicala, e pretende di cantare! — *Reduce dai trionfi viennesi!* Eh, a quanto pare se ne devono intendere molto, i viennesi! — Poveretta, vuol fare la libellula, con quel peso, e a quell'età! — Quanti anni avrà? — Ne dice trentasette... — Sarebbe più adatta forse per qualche *sketch*, qualche parte comica...

Andrea apostrofò bruscamente uno di coloro: — Per piacere, la signora Febea? — Gli fu indicato un piccolo uscio illuminato in fondo al corridoio; avvicinandosi, Andrea udí venire dall'interno un suono di singhiozzi. Una piccola folla di donne ingombrava quel vano angusto, ed egli si fece largo fra di loro a spinte, come fosse in una piazza un giorno di rivoluzione.

Circondata da molte donne (quali artiste, e quali inservienti); in mezzo a una quantità di stracci, seduta ad una misera specchiera piena di disordine e di sporcizia, sua madre (per solito cosí dignitosa!), singhiozzava senza pudore, con una passione frenetica, proprio al modo delle popolane della bassa Italia.

N'a-t-elle trouvé personne pour le lui dire? Elle ne se regarde pas devant la glace? Avec ces hanches déformées, qui lui donnent l'air d'une vache, et ces jambes squelettiques, elle se présente en collant de soie, pour la *danse classique*, comme si elle était la Toumanova! Elle n'a pas d'oreille, elle a une voix éraillée comme une cigale, et elle a la prétention de chanter!» «*Au retour de ses triomphes viennois!* Eh bien, à ce qu'il semble, ils doivent bien s'y connaître, les Viennois!» «La pauvre, elle veut faire la libellule, avec ce qu'elle pèse, et à son âge!» «Quel âge peut-elle avoir?» «Elle dit qu'elle a trente-sept ans… Elle serait peut-être plus indiquée pour des *sketches*, pour des rôles comiques…»

Andrea apostropha brusquement l'un d'entre eux. «S'il vous plaît, Mme Febea?» On lui indiqua une petite porte, éclairée, au fond du couloir; en s'approchant, Andrea entendit venir de l'intérieur un bruit de sanglots. Une petite foule de femmes encombrait cet étroit espace, et il se fraya un passage parmi elles en jouant des coudes, comme s'il était sur une place un jour de révolution.

Entourée par plusieurs femmes (artistes ou femmes de service) au milieu d'une quantité de chiffons, assise devant une misérable coiffeuse couverte de désordre et de saleté, sa mère (si digne d'habitude!) sanglotait sans pudeur, avec une passion frénétique, tout à fait comme les femmes du peuple de l'Italie du Sud.

Nel tempo stesso, si strappava i pettini vistosi dai
capelli, e i gioielli di dosso, ripetendo : — Basta,
basta, è finita.

— Mamma! — gridò Andrea.

Di sotto i capelli spettinati che le spiovevano
sulla faccia, ella fissò su di lui, come se non lo
riconoscesse subito, i suoi begli occhi tempestosi,
incupiti dal bistro nero. Poi, pur sotto la maschera
della truccatura, si vide il suo volto trasfigurarsi ;
e con una voce acuta, piena di affetto carnale (la
voce propria delle madri siciliane), ella gridò :

— Andreuccio mio!

Egli si gettò fra le sue braccia, e incominciò a
piangere con tanto impeto che credeva di non
poter più fermarsi. Finalmente si ricordò d'essere
un uomo, e respingendo il pianto si staccò da lei.
Provò, allora, una grandissima vergogna di essersi
abbandonato in quel modo al cospetto di tante
donne estranee ; e volse intorno, su di loro, degli
sguardi minacciosi, come se intendesse stermi-
narle tutte.

Sua madre lo guardava con un riso inebriato :

— Ma come hai fatto! Come puoi esser qui!

Alzando una spalla, disse :

— Sono fuggito.

— Fuggito dal Collegio! E... la tua tonaca?

Alzò di nuovo la spalla, e il suo ciuffetto gli
cadde sugli occhi. Poi, con un piccolo sorriso non-
curante, infilò le mani nelle tasche dei pantaloni.

En même temps, elle arrachait de ses cheveux de grands peignes voyants et les bijoux qu'elle portait, tout en répétant : «Assez, assez, c'est fini!»

«Maman!» s'écria Andrea.

Sous ses cheveux dépeignés qui lui retombaient sur la figure, elle fixa sur lui ses beaux yeux orageux, assombris par le crayon noir, comme si elle ne le reconnaissait pas aussitôt. Puis, malgré le masque de son maquillage, l'on vit son visage se transfigurer; et avec une voix aiguë, pleine d'affection charnelle (exactement la voix des mères siciliennes), elle cria :

«Mon petit Andreuccio!»

Il se jeta dans ses bras, et commença à pleurer avec une telle violence qu'il croyait ne plus pouvoir s'arrêter. Enfin il se rappela qu'il était un homme, et, étouffant ses pleurs, il s'écarta d'elle. Il éprouva alors une immense honte à s'être abandonné de cette manière au milieu de toutes ces femmes étrangères; et il tourna sur elles des regards menaçants, comme s'il avait l'intention de les exterminer toutes.

Sa mère le regardait avec un rire enivré :

«Mais comment as-tu fait! Comment peux-tu être ici!»

Haussant une épaule, il dit :

«Je me suis enfui!

— Enfui du Collège! Et... ta soutane?»

Il haussa de nouveau une épaule, et sa mèche retomba sur ses yeux. Puis, avec un petit sourire indifférent, il enfila ses mains dans les poches de ses pantalons.

Si difendeva dalla curiosità di tutte quelle donne col non guardarle in faccia; adocchiandole appena di sotto le palpebre con una espressione fra spavalda e scontrosa. Sua madre lo rimirava come fosse un eroe, come fosse un partigiano che avesse passato le linee nemiche.

— Sei fuggito dal collegio... per venire qui da me!

— Si capisce.

Quelle donne facevano intorno dei grandi commenti, e un grande rumoreggiare. Egli aggrottò i sopraccigli, e, sopra la ruga della meditazione, la ruga della severità gli segnò profondamente la fronte.

— Santo! Angelo mio santo! Cuore mio! — esclamò sua madre, baciandogli le mani.

Febbrilmente, ella si nettava il viso con una pezzuola intrisa di crema. Quindi si nascose dietro una tenda per togliersi la doppia gonnellina di tulle, il busto di pietre preziose, la maglia di seta che le ricopriva tutto il corpo (simile a una lunghissima calza), e indossare il suo decoroso abito nero, e il cappello con la veletta. Vestita che fu, incominciò a raccogliere intorno (di dietro la tenda, da un attaccapanni e da una cesta posta sotto la specchiera), diverse gonnelle, tutú, piume, diademi, riponendo tutto alla rinfusa dentro una valigia e dicendo:

— Basta. Domani non recito. Potete dirlo alla compagnia. Arriverderci.

Il se défendit de la curiosité de toutes ces femmes en évitant de les regarder en face, et en les lorgnant à peine, par-dessous ses paupières, avec une expression de défi et de bravade à la fois. Sa mère le contemplait comme s'il était un héros, un partisan qui avait passé les lignes ennemies.

«Tu t'es sauvé du collège... pour venir ici, me voir?

— C'est évident!»

Ces femmes, autour d'eux, faisaient de grands commentaires et un grand bruit. Il fronça les sourcils, et, par-dessus la ride de la méditation, la ride de la sévérité creusa profondément son front.

«Saint! Mon ange saint! Mon cœur!» s'écria sa mère, en lui embrassant les mains.

Fébrilement, elle se nettoyait le visage avec un mouchoir imbibé de crème. Puis elle se cacha derrière un rideau pour ôter sa double jupe de tulle, son corsage de pierres précieuses, le collant de soie qui lui recouvrait tout le corps comme un bas immense et mettre son convenable costume noir, et son chapeau avec une voilette. Quand elle fut habillée, elle commença à ramasser (derrière le rideau, sur le portemanteau et dans un panier placé derrière la coiffeuse) diverses jupes, des tutus, des plumes, des diadèmes, qu'elle jeta en désordre dans une valise, en disant :

«Assez. Demain je ne jouerai pas. Vous pouvez le dire à la compagnie. Au revoir.»

Ella aveva, nel dir cosí, i modi regali e capricciosi d'una prima-donna, e pronunciò la parola *Compagnia* con una smorfia sprezzante, come di chi allude a persone volgari, incapaci di apprezzare la vera arte. Tralasciamo adesso due o tre frasi un poco maliziose e perfide, che le furono date in risposta da qualcuna delle sue colleghe presenti nello spogliatoio, e sulle quali (come sui commenti maligni uditi prima nel corridoio), la mente di Andrea doveva ritornare piú tardi.

Salutate che ebbe tutte quelle donne, ella prese per mano Andrea, conducendolo fuori e giú per la scaletta verso la strada. Pur nella commozione di quel momento, però, Andrea si adontò d'esser trattato come un bambino, e svincolò la propria mano da quella di lei. Quindi, aggrottando le ciglia, le ritolse, per portarla lui, la valigia ch'ella reggeva con la destra. Allora, ella non solo gli cedette tosto la valigia, ma, con intuizione meravigliosa, s'appoggiò al suo braccio!

Il portinaio-carceriere stavolta alzò gli occhi al loro passaggio; ma Andrea passò davanti alla guardiòla con una espressione cosí sprezzante che, se appena serbava un resto di dignità umana, colui dovette sentirsi incenerire, e vergognarsi di tutto il suo passato, e delle mille volte che aveva richiuso, con sinistro tintinnio di chiavi, l'uscio d'una cella!

Elle avait, en disant ces mots, les manières royales et capricieuses d'une prima donna, et elle prononça le mot *Compagnie* avec une grimace de mépris, comme si elle faisait allusion à des personnes vulgaires, incapables d'apprécier l'art véritable. Nous laissons de côté pour l'instant deux ou trois phrases un peu malicieuses et perfides, qui furent données en réponse par l'une ou l'autre de ses compagnes présentes dans la loge, et sur lesquelles l'esprit d'Andrea devait revenir plus tard (comme sur les commentaires malveillants qu'il avait entendus précédemment dans le couloir).

Après avoir salué toutes ces femmes, elle prit Andrea par la main, en le conduisant au-dehors, pour descendre par le petit escalier, vers la rue. Malgré l'émotion de cet instant, Andrea eut honte d'être traité en enfant, et dégagea sa main de celle de sa mère. Puis, fronçant les sourcils, il lui prit, pour la porter lui-même, la valise qu'elle tenait dans sa main droite. Alors, non seulement elle lui céda aussitôt la valise, mais, avec une intuition merveilleuse, elle s'appuya à son bras!

Le portier-cordonnier, cette fois, leva les yeux à leur passage; mais Andrea passa devant la loge avec une expression si méprisante que, s'il gardait encore à peine un peu de dignité humaine, le gardien dut se sentir réduit en cendres, et avoir honte de tout son passé et des milliers de fois où, avec un sinistre tintement de clefs, il avait refermé la porte d'une cellule!

— Carrozza! — gridò Giuditta appena furono nella piazzetta. E subito, alla compiacente frustata del vetturino, un bel cavallino pezzato, che recava al collo un sonaglio, mosse verso i nostri due passeggeri. Giuditta appariva del tutto guarita del grande dolore di poc'anzi. Esilarata, appassionata più di quanto Andrea l'avesse mai vista prima, seduta che fu accanto a lui nella carrozza gli si strinse al braccio dicendogli : — Ah, cavalierino mio caro, angelo del cuore mio, che regalo prezioso m'è toccata stasera! — Ella dette al vetturino l'indirizzo del proprio albergo, decidendo che Andreuccio doveva dormirvi con lei, questa notte, e lei stessa, la mattina dopo, avrebbe pensato a giustificarlo coi padri. Ma allora Andrea si ricordò del proprio dovere, vale a dire della promessa fatta ad Anacleto e ad Arcangelo Giovina, di riportare alla stalla i loro vestiti prima dell'una di notte. — Ebbene, ti accompagno, — disse Giuditta, — la carrozza ci condurrà fin dove è possibile, e lí ci aspetterà, con la valigia, finché non torniamo dalla stalla. Poi ci porterà all'albergo.

E la carrozza, annunciata dal suo gaio sonaglio, riattraversò le medesime vie che Andrea, un'ora prima, aveva percorso, guardingo come un ladro, e solo col tristo dubbio (anzi, quasi certezza), di non esser più amato!

Quanto appariva assurdo, adesso, un tale dubbio; con che scorno la sua nera ombra si allontanava, nella sua compagnia di spettri, di là dall' orizzonte stellato di quella meravigliosa notte!

«Voiture!» cria Giuditta dès qu'ils furent sur la petite place. Et aussitôt, au coup de fouet complaisant du cocher, un joli cheval pie, qui portait un grelot au cou, se dirigea vers nos deux passants. Giuditta semblait tout à fait guérie de sa grande et récente douleur. Folle de joie, et plus passionnée qu'Andrea ne l'avait jamais vue auparavant, quand elle fut assise auprès de lui dans la voiture, elle se serra à son bras en lui disant : «Ah! mon cher petit chevalier, ange de mon cœur, quel précieux cadeau j'ai reçu ce soir!» Elle donna au cocher l'adresse de son hôtel, décidant qu'Andreuccio devait dormir avec elle, cette nuit; c'est elle-même qui, dès le lendemain matin, s'occuperait de le justifier auprès des Pères. Mais Andrea se souvint alors de son devoir, c'est-à-dire de la promesse faite à Anacleto et à Arcangelo Giovina de rapporter à l'écurie leurs vêtements avant une heure du matin. «Eh bien, je t'accompagne, dit Giuditta, la voiture nous conduira le plus loin possible, et elle nous attendra là, avec la valise, en attendant que nous soyons revenus de l'écurie. Puis elle nous conduira à l'hôtel. »

Et la voiture, annoncée par son joyeux grelot, traversa à nouveau les mêmes rues qu'Andrea, une heure plus tôt, avait parcourues, méfiant comme un voleur, et seul avec le triste soupçon (et même avec la quasi-certitude) de n'être plus aimé.

Que ce soupçon semblait maintenant absurde! avec quel dépit s'éloignait son ombre noire, au milieu de sa compagnie de spectres, au-delà de l'horizon étoilé de cette nuit merveilleuse!

Al termine d'un viottolo, la carrozza non poté
piú proseguire, e Andrea, in compagnia di sua
madre, ne scese per raggiungere a piedi il capanno
dove aveva nascosto la tonaca. Avanzando rapidi
fra l'erba alta, non ancora falciata, essi misero in
fuga un giovane ranocchio la cui minuscola ombra
saltellante si vide riapparire in un vicino sentiero.
E Andrea pensò subito : « Certo adesso ritorna
allo stagno, dove lo aspetta sua madre, la Rana. »
Non solo i campi tranquilli, i monti e la terra dor-
miente, ma perfino il cielo, gli parevano delle
stanze affettuose, dove si raccoglievano delle famiglie felici come lui stesso era felice in quel
momento. L'Orsa in cielo con le sue mille figlie, e
presso il fiume una famiglia di pioppi, e qua una
grossa pietra, vicino a una pietra piccola, somi-
gliante a una pecora col suo agnello. Presto furono
al capanno, dove Andrea, spogliatosi dell'abito
borghese, fece per rimettersi la tonaca ; ma Giuditta (che s'era attristata in viso al solo rivedere
quella veste nera), lo dissuase, con argomenti
molto giusti, dal mostrarsi in quella notte vestito
da pretino. E poiché, tolti gli abiti imprestati,
Andrea non aveva di che vestirsi, lo ricoprí con
un grande scialle andaluso, parte d'un suo costume di teatro, che non aveva trovato posto nella
valigia e ch'ella portava ripiegato sul braccio.

Au bout d'une ruelle, il fut impossible à la voiture de continuer davantage, et Andrea, en compagnie de sa mère, en descendit pour rejoindre à pied la grange où il avait caché sa soutane. En avançant rapidement dans l'herbe haute, pas encore fauchée, ils mirent en fuite une toute petite grenouille dont ils virent la minuscule ombre sautillante reparaître dans un sentier voisin. Et Andrea pensa aussitôt : « Certainement, elle retourne maintenant à l'étang, où l'attend sa mère la Grenouille. » Non seulement les champs calmes, les montagnes et la terre endormie, mais le ciel même lui semblaient des salles affectueuses où se réunissaient des familles, heureuses comme lui-même était heureux à se moment. L'Ourse dans le ciel avec ses mille filles, et auprès du fleuve une famille de peupliers, et ici une grosse pierre, auprès d'une autre pierre plus petite, comme une brebis avec son agneau. Ils furent bientôt auprès de la grange, où Andrea, après avoir retiré son costume civil, allait remettre sa soutane, mais Giuditta (qui s'était attristée à la simple vue de ce vêtement noir) le dissuada, avec des arguments très justes, de se montrer, cette nuit-là, habillé en séminariste. Et comme, après avoir retiré les habits prêtés, Andrea n'avait pas de quoi s'habiller, elle le revêtit d'un grand châle andalou, une partie d'un de ses costumes de scène qui n'avait pas trouvé de place dans sa valise et qu'elle portait, replié sur le bras.

Tanto (ella argomentò per convincere il figlio),
dal capanno alla stalla non si poteva incontrare
nessuno; al vetturino, farebbero credere ch'egli
s'era inzuppato i vestiti, cadendo per accidente
nello stagno; e all'albergo, poi, non troverebbero, a quell'ora, che il portiere di notte (mezzo
addormentato dietro il suo banco, nell'ingresso
scuro); il quale, avvezzo a un via vai di gente di
teatro, non s'interesserebbe di certo al passaggio
d'uno scialle andaluso, e, magari, scambierebbe
Andrea per una ragazza.

Giuditta rimase ad attendere presso il capanno,
mentre Andrea, avvolto nell'immenso scialle andaluso, correva verso la stalla di Anacleto. Secondo
la promessa, egli lasciò cadere gli abiti imprestati,
attraverso la grata della finestra, nell'interno, senza
svegliare i dormienti. A dire il vero, il suo scialle
lo esilarava tanto ch'egli fu assai tentato di chiamare Anacleto et il suo amico: il solo pensiero di
farsi vedere da loro camuffato in quel modo lo
faceva ridere. Ma, sebbene a malincuore, rinunciò all'idea. Nella stalla il lume era stato spento, e
dalle tenebre tranquille, nel familiare odore di
fieno e di strame di cavalli, saliva un russare virile
e simpatico: «certo è il militare», pensò Andrea.
Si udí quindi un leggero brontolio: «dev'essere
Anacleto che sogna». Poi si avvertí un sospiro,
appena un soffio; e Andrea s'immaginò che fosse
il puledrino.

— Grazie, Anacleto, — egli mormorò, — grazie, Giovina. Dormite bene tutti, anche voi, cavalli.

De toute façon (expliqua-t-elle pour convaincre son fils), de la cabane à l'écurie, on ne pouvait rencontrer personne ; ils feraient croire au cocher qu'il avait trempé ses vêtements, en tombant par accident dans l'étang ; quant à l'hôtel, ils n'y trouveraient, à cette heure, que le veilleur de nuit (à moitié endormi derrière son comptoir, dans la sombre entrée) et ce dernier, habitué au va-et-vient des gens de théâtre, ne s'intéresserait certainement pas au passage d'un châle andalou, et prendrait peut-être Andrea pour une jeune fille.

Giuditta resta à l'attendre près de la cabane, pendant qu'Andrea, enveloppé dans l'immense châle andalou, courait vers l'écurie d'Anacleto. Selon sa promesse, il fit tomber les vêtements prêtés à travers la grille de la fenêtre, sans réveiller les dormeurs. À vrai dire, son châle l'amusait tellement qu'il fut assez tenté d'appeler Anacleto et son ami : la seule pensée de se montrer à eux, déguisé de cette façon, le faisait rire. Mais, bien qu'à contrecœur, il renonça à son idée. Dans l'écurie, la lumière était éteinte, et, des ténèbres tranquilles, montait dans l'odeur familière de foin et de litière de cheval, un ronflement viril et sympathique : « C'est sûrement le militaire », pensa Andrea. Puis il entendit un léger grognement : « Ce doit être Anacleto qui rêve. » Puis il distingua un soupir, à peine un souffle, et Andrea imagina que c'était le petit poulain.

« Merci, Anacleto, murmura-t-il, merci, Giovina. Dormez bien, tous, et vous aussi, les chevaux.

Buona notte —. E, dopo questo saluto, corse di
nuovo attraverso i campi, nel grande scialle andaluso, verso sua madre che lo aspettava.

Non fu necessaria nessuna spiegazione : ché,
infatti, né il vetturino, né il portiere di notte
dell'albergo non mostrarono nessuna curiosità
per Andrea e per il suo scialle : in verità, avvezzi
entrambi a servire gente di teatro dovevano aver
fatto ormai l'abitudine a personaggi e commedie
d'ogni sorta. L'albergo, ch'era piuttosto una
locanda, si chiamava *Albergo Caruso*, ed era tenuto
da un napoletano che aveva ornato ogni camera
con qualche quadretto a colori raffigurante il
Vesuvio, o una gaia figura di tarantella. La camera
di Giuditta (ammobiliata con pochi mobili in
serie, di quello stile che pareva estroso e moderno
trenta o quarant'anni prima), come tutte le altre
dell'albergo era fornita di due lettini, ma Giuditta
la occupava da sola, non avendo voluto, per
decoro, dividerla con nessuna compagna. Fra i
due lettini, sul pavimento sconnesso (il palazzo
era antico), era steso un piccolo scendiletto, dal
disegno, quasi svanito, a rombi e a losanghe.
L'unica lampada, appesa nel centro del soffitto,
dava una luce fioca, e ogni momento si spegneva
e riaccendeva, per colpa dell'interruttore guasto,
che s'era schiodato dal muro e pendeva giú dal
suo filo

Bonne nuit. » Et, après ce salut, il se remit à courir à travers champs dans son grand châle andalou, vers sa mère qui l'attendait.

Aucune explication ne fut nécessaire, car ni le
cocher, ni le veilleur de nuit de l'hôtel ne mon-
trèrent aucune curiosité pour Andrea ni pour
son châle ; à vrai dire, accoutumés l'un et l'autre
à servir des gens de théâtre, ils devaient désormais s'être habitués à des personnages et à des
comédies de toutes sortes. L'hôtel, qui était plutôt une auberge, s'appelait *Hôtel Caruso* ; il était
tenu par un Napolitain qui avait décoré chaque
chambre avec de petits tableaux en couleurs
représentant le Vésuve ou une joyeuse figure de
tarentelle. La chambre de Giuditta (garnie de
quelques meubles de série, de ce style qui paraissait fantaisiste et moderne trente ou quarante ans
plus tôt) était munie, comme toutes les autres
chambres de l'hôtel, de deux petits lits, mais Giuditta l'occupait seule, car elle avait refusé, pour
son prestige, de la partager avec aucune de ses
compagnes. Entre les deux lits, sur le plancher
inégal (l'immeuble était fort ancien) était étendue une petite descente de lit, avec un motif de
losanges presque effacé. Une lampe unique, pendue au milieu du plafond, donnait une faible
lumière, et s'éteignait et se rallumait à chaque
instant, car l'interrupteur qui s'était décloué du
mur et pendait au bout de son fil, était cassé.

In un angolo della stanza, c'era un lavandino con
l'acqua corrente fredda, fornito di un solo asciu-
gamano assai leggero, tutto bagnato, che portava,
stampigliate a caratteri neri, le parole *Albergo
Caruso*. Una parete si adornava d'un quadro a
colori raffigurante sul fondo il Vesuvio che
fumava, e, in primo piano, un bel vecchione, con
una barba pari a quella di Mosè e una fusciacca
rossa per cintura : il quale guardave il vulcano
fumare e, per conto suo, fumava la pipa, con piacere evidente.

La finestra, senza tendine, dava su un cortile
tranquillo, donde si udiva un lieve rumore d'acqua
e, di tanto in tanto, le voci dei gatti di grondaia.

Giuditta sprimacciò e rifece con cura uno dei
due lettini, per Andrea. E appena lo vide là, cori-
cato, si accoccolò ai suoi piedi, sullo scendiletto,
come una cagna, e guardandolo con una tenerezza e fedeltà indicibile, esclamò : — Occhi miei
belli, occhi santi, stelle della madre vostra, ah, mi
pare un sogno di vedervi qui, in questa camera,
in questo lettino ! Madonna mia, non sarà un
sogno ? — Ed ella si stropicciò gli occhi, come
per rassicurarsi d'essere sveglia : in quest'atto
ruppe in pianto, e sorridendo nel tempo stesso,
tutta esaltata disse :

— Andreuccio, vogliamo fare un patto noi
due, stanotte ? vuoi sentire un mio progetto per il
futuro ? Io mi ritiro per sempre dal teatro, e tu
lasci il collegio.

Dans un coin de la pièce, il y avait un lavabo, avec l'eau froide courante, muni d'un seul essuie-mains fort léger et tout humide, qui portait, estampillés en noir, les mots *Hôtel Caruso*. L'un des murs s'ornait d'un tableau en couleurs représentant le Vésuve qui fumait, et, au premier plan, un beau vieillard, avec une barbe digne de celle de Moïse et une grande ceinture rouge drapée, qui regardait fumer le volcan, et, pour son compte personnel, fumait la pipe avec un plaisir évident.

La fenêtre, sans rideaux, donnait sur une cour tranquille, d'où venaient un léger bruit d'eau, et de temps en temps, les cris des chats de gouttière.

Giuditta retourna et refit soigneusement l'un des deux petits lits, pour Andrea. Dès qu'elle le vit là, couché, elle s'accroupit à ses pieds, sur la descente de lit, comme une chienne, et, le regardant avec une tendresse et une fidélité indicibles, elle s'écria : « Mes beaux yeux, yeux saints, étoiles de votre mère, ah ! cela me paraît un songe de vous voir ici, dans cette chambre, dans ce petit lit ! Madone, est-ce que ce n'est pas un rêve ! » Et elle se frotta les yeux, comme pour s'assurer qu'elle était bien éveillée : à ce geste, elle éclata en sanglots, et, tout en souriant en même temps, elle dit, tout exaltée :

« Andreuccio, veux-tu que nous fassions un pacte, nous deux, cette nuit ? Veux-tu écouter mon projet pour l'avenir ? Je me retire pour toujours du théâtre, et tu quittes le collège.

Torniamo a Roma, e ci riprendiamo Lauretta
nostra, e rimettiamo su casa. Ho ancora un poco
di rendita da Palermo, e mi aiuterò dando qualche
lezione di danza, finché voi due non avrete finito
gli studi. Tu e Lauretta vi iscriverete al Liceo, a
Roma, e vivremo noi tre insieme, e tu sarai il capo
della famiglia.

A questo discorso, Andrea provò una tale commozione di gioia, che rabbrividí dalla testa ai
piedi :

— Tu, — domandò, — non torni piú sul teatro ?

— Mai piú, — ella dichiarò, corrugando sde-
gnosamente la fronte, e contemplandolo fra i singhiozzi, e torcendosi le mani, come per timore
ch'egli rifiutasse il patto, — mai piú, se tu vuoi.
Ma tu, non mi lascerai sola ? Rinunci al collegio,
rinunci a diventare prete ? Sí ? mi dici di sí ? sí ? sí ?

Egli la fissò con espressione coscienziosa e
severa ; poi, disse, annuendo :

— Certo, se rimettiamo su casa, ci vuole un
capo, per la famiglia !

Giuditta gli afferrò una mano e la coprí di baci.
In quel momento (gli disse in seguito), egli aveva
assunto proprio un'aria da siciliano : di quei siciliani severi, d'onore, sempre attenti alle loro
sorelle, che non escano sole la sera, che non lusin-
ghino gli spasimanti, che non usino il rossetto !

Nous retournons à Rome, nous reprenons notre petite Laura, et nous installons de nouveau une maison. J'ai encore un peu de rentes, de Palerme, et je m'aiderai en donnant quelques leçons de danse, tant que vous deux, vous n'aurez pas fini vos études. Lauretta et toi, vous vous inscrivez au Lycée à Rome, et nous vivrons tous les trois ensemble, et tu seras le chef de la famille. »

À ce discours, Andrea éprouva une telle émotion de joie, qu'il en frissonna de la tête aux pieds :

« Toi, demanda-t-il, tu ne feras plus de théâtre ?

— Jamais plus », déclara-t-elle en fronçant dédaigneusement le front, et en le contemplant au milieu de ses sanglots, tout en se tordant les mains, comme si elle craignait qu'il ne refusât le pacte. « Jamais plus si tu le veux. Mais toi, tu ne me laisseras pas seule ? Tu renonces à ton collège, tu renonces à devenir prêtre ? Oui ? Tu me dis oui ? oui ? oui ? »

Il la fixa avec une expression consciencieuse et sévère ; puis il dit, avec un geste affirmatif :

« Bien sûr, si nous installons de nouveau une maison, il faut un chef, pour la famille ! »

Giuditta lui saisit une main et la couvrit de baisers. À ce moment (lui dit-elle par la suite), il avait tout à fait pris un air de Sicilien : de ces Siciliens sévères, hommes d'honneur, toujours en train de surveiller leurs sœurs, pour qu'elles ne sortent pas le soir, qu'elles n'encouragent pas leurs soupirants, qu'elles ne mettent pas de rouge à lèvres ;

e per i quali *madre* vuol dire due cose : *vecchia* e *santa*. Il colore proprio agli abiti delle madri è il nero, o, al massimo, il grigio o il marrone. I loro abiti sono informi, giacché nessuno, a cominciare dalle sarte delle madri, va a pensare che una madre abbia un corpo di donna. Il loro anni sono un mistero senza importanza, ché, tanto, la loro unica età è la vecchiezza. Tale informe vecchiezza ha occhi santi che piangono non per sé, ma per i figli ; ha labbra sante, che recitano preghiere non per sé, ma per i figli. E guai a chi pronunci invano, davanti a questi figli, il nome santo delle loro madri ! guai ! è offesa mortale !

Concluso il grande patto, Giuditta si attardò con Andrea a far progetti per il futuro. Per cominciare, fu stabilito che, alle prime ore della mattina dopo, ella si recherebbe al collegio per comunicare ai padri la decisione di suo figlio di non rientrarvi piú. Quindi, in tutta fretta, andrebbe ad acquistare un abito borghese, bello e fatto, per Andrea. Il quale, oltre alla tonaca e a poca biancheria, non possedeva sulla terra altro vestito fuori di quello, fattosi ormai troppo piccolo, che indossava quando, bambino, era entrato in collegio.

Per mancanza di panni da coprirsi, Andrea non potrebbe alzarsi dal letto fino al ritorno di sua madre da queste commissioni. Ma lei era sicura di fare tanto presto che, certo, lo ritroverebbe ancora addormentato.

et pour lesquels le mot *mère* signifie deux choses :
vieille et *sainte*. La couleur qui convient aux vêtements des mères est le noir, ou à la rigueur, le gris
et le marron. Leurs vêtements sont sans forme ;
car personne, à commencer par les couturières
des mères, ne va penser qu'une mère ait un corps
de femme. Le nombre de leurs années est un mystère sans importance, puisque, de toute façon,
leur seul âge est la vieillesse. Cette vieillesse informe a des yeux saints qui pleurent, non pour
elle-même, mais pour les enfants ; elle a des lèvres
saintes, qui récitent des prières, non pour elle
mais pour les enfants. Et malheur à celui qui pro-
nonce en vain, devant ces enfants, le saint nom de
leurs mères ! malheur ! c'est une offense mortelle !

Après avoir conclu le grand pacte, Giuditta
s'attarda avec Andrea à faire des projets pour
l'avenir. Pour commencer, il fut établi que, aux
premières heures du matin suivant, elle se ren-
drait au collège pour communiquer aux Pères la
décision prise par son fils de n'y plus retourner.
Puis, en toute hâte, elle irait acheter un costume
civil, tout fait, pour Andrea. Car ce dernier, en
dehors de sa soutane et d'un peu de linge, ne possédait pas sur terre d'autre costume que celui,
devenu maintenant trop petit, qu'il portait lorsqu'il était entré au collège, encore enfant.

Comme il n'avait rien à se mettre, Andrea ne
pourrait se lever de son lit avant que sa mère
ne fût revenue de ses courses. Mais elle était sûre
de faire si vite qu'elle le retrouverait certainement encore endormi.

Tutti questi discorsi di Giuditta furono inter-
rotti da una arrogante voce femminile che, dalla
stanza vicina, picchiando con energia contro un
uscio comune, ammoní : — Ehi, gente! Sono le
tre! Quando ci lasciate dormire?

Giuditta s'infiammò di sdegno; e balzando
verso quell'uscio, proruppe : — Ah, sentite chi
protesta! proprio voi, che per tutto il pomeriggio
non m'avete lasciato riposare un minuto con le
prove dei vostri gorgheggi! E ieri notte! meglio
non parlarne! ho dovuto coprirmi gli orecchi per
la vergogna! Proprio loro! proprio quelle due
fanno le smorfiose!

Si udí nella stanza vicina un brontolio, poi
qualche risata sommessa; e una voce femminile,
diversa dalla prima, gridò, in accento di canzonatura :

— *Trionfo viennese!*

Giuditta rimase un attimo titubante, come
fosse sul punto di scagliarsi contro l'uscio; ma si
trattene, e lanciò invece, all'indirizzo dell'avver-
saria invisibile, quest'unica parola, di cui l'intenzione insultante (indubbia, a giudicare dal tono),
resta assolutamente misteriosa :

— *Tenore!*

Poi spense la luce, e, dopo essersi spogliata al
buio, si coricò nel suo lettino.

Tous ces discours de Giuditta furent interrompus par une arrogante voix de femme, qui, de la pièce voisine, lui cria, tout en frappant énergiquement contre une porte commune : « Eh, dites ! Il est trois heures. Quand est-ce que vous nous laisserez dormir ? »

Giuditta s'enflamma de colère, et bondissant vers la porte, elle s'écria : « Ah, regardez qui proteste ! c'est vous, justement, qui, pendant tout l'après-midi, m'avez empêchée de me reposer une minute avec les répétitions de vos gloussements ! Et la nuit dernière ! Il vaut mieux ne pas en parler ! J'ai dû m'en boucher les oreilles de honte ! Et ce sont elles ! ce sont ces deux-là qui font les mijaurées ! »

On entendit dans la pièce voisine un grognement, puis quelques rires étouffés ; et une voix de femme, différente de la première, s'écria, avec un accent de moquerie :

« *Triomphe viennois !* »

Giuditta resta un instant hésitante, comme si elle était sur le point de se jeter contre la porte ; mais elle se domina, et lança au contraire, à l'intention de son invisible adversaire, ce seul mot, dont l'intention insultante (indubitable, à en juger par le ton) reste absolument mystérieuse :

« *Ténor !* »

Puis elle éteignit la lumière, et, après s'être déshabillée dans l'obscurité, elle se coucha dans son petit lit.

Di lí a un minuto, udendo dei brevi lamenti, e dei rotti sospiri, Andrea mosse le labbra, immaginandosi di dire :

— Mamma, non piangere.

Ma in realtà non pronunciò parola, perché in quel medesimo istante cadde addormentato. Si risvegliò di colpo, dopo un'ora appena, forse (ancora non spuntava l'alba). A svegliarlo, era stato il pensiero di Dio. Si ricordò di non aver detto le preghiere prima d'addormentarsi e di non avere mai in quella notte, neppure un solo istante, neppure soltanto col pensiero, chiesto perdono a Dio per le orribili infrazioni commesse. Non osò, adesso, né di pentirsi né di pregare : oramai, egli era un disertore, aveva rinunciato alla conquista del Paradiso ! E gli parve di vedere le Milizie celesti : immensa flotta armata, rilucente d'acciaio, d'ali sante e di bandiere, allontanarsi e dileguare come le nuvole, lasciando sulla terra il traditore Campese ! A questa immaginazione, Andrea pianse dolorosamente, di nostalgia e di rimorso. Cominciava a spuntare il giorno, e alla prima luce gli apparve, fra le lagrime, un'ampia forma nera che pendeva dalla maniglia della finestra : ero lo scialle andaluso, che gli sembrò l'immagine stessa della sua vergogna. Doveva proprio aver perduto il sentimento dell'onore, quella notte, per ricoprirsi d'un simile straccio umiliante senza provarne onta, anzi perfino con un certo gusto. Ma sopraffatto dall'angoscia e dalla stanchezza, si riaddormentò.

Une minute plus tard, comme il entendait de brèves plaintes, et des soupirs saccadés, Andrea remua les lèvres, en imaginant qu'il disait :

« Maman, ne pleure pas. »

Mais en réalité, il ne prononça pas un mot, parce qu'à ce même instant, il tomba endormi. Il se réveilla brusquement, à peine une heure plus tard (l'aube ne pointait pas encore). Ce fut la pensée de Dieu qui le réveilla. Il se rappela qu'il n'avait pas dit ses prières avant de s'endormir, et qu'il n'avait jamais, au cours de cette nuit, même un seul instant, même par une simple pensée, demandé pardon à Dieu pour les horribles infractions qu'il avait commises. Il n'osa pas alors se repentir, ni prier : désormais, il était un déserteur, il avait renoncé à la conquête du Paradis ! Et il lui sembla voir les Milices célestes : immense flotte armée, brillante d'acier, d'ailes saintes et de bannières, qui s'éloignait et disparaissait derrière les nuages, en laissant sur la terre le traître Campese ! À cette idée, Andrea pleura amèrement de nostalgie et de remords. Le jour commençait à poindre, et avec la première lumière, lui apparut entre ses larmes une grande forme noire, qui pendait à la poignée de la fenêtre : c'était le châle andalou, qui lui sembla l'image même de sa honte. Il fallait qu'il eût vraiment perdu le sentiment de l'honneur, cette nuit, pour s'être recouvert d'un tel haillon humiliant sans en éprouver de honte, et même avec un certain plaisir. Mais, vaincu par l'angoisse et la fatigue, il se rendormit.

Lo risvegliò (era mattino alto), Giuditta che tornava, tutta contenta, dall'aver eseguito le sue commissioni. L'incubo dell'alba era svanito. Ella gli portava un abito completo, acquistato nella bottega piú elegante della città : un abito *da uomo*, vale a dire in tutto e per tutto, nelle finiture e nel taglio, di perfetta foggia virile : con pantaloni lunghi e giacca estiva, a un solo bottone, dalle spalle bene imbottite. Il genio e la fortuna avevano assistito Giuditta cosí che la misura di quell'abito rispondeva esattamente alla persona di Andrea, e non occorreva ritoccarne una piega né una cucitura. Una provvidenza addirittura miracolosa le aveva fatto trovare pure una piccola camicia di seta bianca, fornita di colletto e polsini, che pareva tagliata apposta per Andrea. E, naturalmente, ella non aveva dimenticato la cravatta, a strische rosse e turchine, e recante, sul rovescio, un'etichetta di raso giallo (per acquistare tutte queste eleganze, Giuditta aveva venduto la propria *trousse* d'oro).

Poiché, indossato il vestito, per prima cosa infilò le mani in tasca, Andrea scoperse che entrambe le tasche della giacca contenevano una sorpresa. In una, c'era un portafogli di pelle di cinghiale, e nell'altra, un pacchetto di sigarette americane !

Andrea arrossí di soddisfazione, e volse a Giuditta un sorriso di fierezza e di gratitudine immensa !

Ce fut Giuditta qui le réveilla : la matinée était avancée, et elle revenait, toute contente d'avoir exécuté ses commissions. Le fantôme de l'aube s'était évanoui. Elle lui apportait un costume complet, acheté dans le magasin le plus élégant de la ville : un costume *d'homme*, c'est-à-dire en tout et pour tout, finition et coupe, d'un style parfaitement masculin, avec des pantalons longs, et une veste d'été, à un seul bouton, aux épaules bien rembourrées. Le génie et la chance avaient à ce point assisté Giuditta que la taille du costume correspondait exactement à la stature d'Andrea, et il n'était pas nécessaire d'en retoucher un pli ou une couture. Une providence réellement miraculeuse lui avait permis de trouver aussi une petite chemise de soie blanche, munie d'un faux col et de manchettes, qui semblait absolument coupée pour Andrea. Et, naturellement, elle n'avait pas oublié la cravate, à rayures rouges et bleu foncé, qui portait, à l'intérieur, une étiquette de satin jaune (pour acquérir toutes ces élégances, Giuditta avait vendu sa *trousse* d'or).

Et comme, après avoir enfilé le costume, la première chose que fit Andrea fut de glisser ses mains dans les poches, il découvrit que les deux poches de la veste contenaient une surprise. Dans l'une, il y avait un portefeuille en peau de porc, et dans l'autre, un paquet de cigarettes américaines !

Andrea rougit de satisfaction, et tourna vers Giuditta un sourire de fierté et de gratitude immense.

In seguito, e nel giro di pochi mesi, questi ricordi dovevano decadere, corrompersi. Il reciproco patto di Giuditta e Andrea fu rispettato, i loro progetti furono eseguiti. Ma non passò molto tempo, e Andrea cominciò a capire che il suo patto con Giuditta, e tutta la sua vita precedente, gli avevano nascosto un inganno. Sua madre non aveva, in realtà, lasciato il teatro per amor suo, di Andrea, ma perché non le rimaneva nessun'altra via possibile, e da tempo, certo, ella si preparava a una simile risoluzione. Il decisivo insuccesso di quella sera famosa era stato, forse, piú amaro degli altri, ma non era certo il primo. Ogni serata di Giuditta, oramai, in qualsiasi città o teatro, finiva nell'insuccesso e nella mortificazione : ecco la verità ; e perfino i piú modesti impresari di provincia spesso le rifiutavano una scrittura. Ella era fallita come danzatrice classica e non era adatta per il *varietà* e per la *rivista*. Infine, in quella notte Giuditta non aveva sacrificato nulla ad Andrea, ed era ricorsa a lui solo perché il teatro l'aveva respinta.

Questa prima amarezza fu, per Andrea, quasi una maga provvista d'uno specchio nel quale, via via, gli si svelarono le vere figure di tutte le sue illusioni.

Par la suite, et en l'espace de quelques mois, ces souvenirs devaient déchoir et se corrompre. Le pacte réciproque de Giuditta et d'Andrea fut respecté, et leurs projets exécutés. Mais il ne fallut pas longtemps pour qu'Andrea commençât à comprendre que son pacte avec Giuditta, et toute sa vie antérieure, lui avaient caché une tromperie. En réalité, sa mère n'avait pas renoncé au théâtre par amour pour lui, Andrea, mais parce qu'il ne lui restait pas d'autre voie possible, et il y avait longtemps, sans doute, qu'elle se préparait à une telle résolution. L'insuccès définitif de cette fameuse soirée avait été, peut-être, plus cuisant que les autres, mais il n'était assurément pas le premier. Désormais, dans n'importe quelle ville ou quel théâtre, toutes les soirées de Giuditta finissaient dans l'insuccès et la mortification, voilà la vérité ; et même les plus modestes impresarios de province lui refusaient souvent des engagements. Elle était finie comme danseuse classique, et n'était pas bonne pour les *variétés* ou les *revues*. En somme, cette nuit-là, Giuditta n'avait rien sacrifié à Andrea, et elle n'avait eu recours à lui que parce que le théâtre l'avait repoussée.

Cette première amertume fut, pour Andrea, comme une magicienne munie d'un miroir dans lequel, peu à peu, se dévoilèrent à lui les figures véritables de toutes ses illusions.

Egli arrivò a convincersi che sua madre non solo non era mai stata la famosa artista che lui bambino immaginava, ma non era stata neppure un'artista incompresa, e neppure un'artista. Lo scandaloso insuccesso di quell'ultima serata non era stato (come aveva supposto lui puerilmente), l'effetto inaudito, mostruoso dell'ignoranza provinciale. Certo, il pubblico di quella piccola città era ignorante, rozzo e stupido; ma nessun pubblico al mondo poteva ammirare Giuditta Campese, la quale possedeva soltanto l'ambizione, senza il talento. A questo punto, si ripresentarono alla memoria di Andrea le parole maligne udite quella sera là in teatro, nel corridoio dei camerini. Egli le aveva udite allora quelle parole; ma, come soldati che preparano un'imboscata, appena udite, esse eran corse a rifugiarsi in un nascondiglio della sua mente, donde riapparvero, per assalirlo d'improvviso. Andrea le riudí, una per una, e imparò ch'esse riguardavano sua madre. Erano parole odiose, nemiche crudeli da cui voleva difendersi; ma, alla fine, mentivano? Attento, Andrea, sii sincero, quale risposta puoi dare? Quelle parole *mentivano*? No, esse dicevano la verità! Giuditta Campese non era piú una belle donna. Forse, non era mai stata proprio bella, ma adesso era finita, una vecchia.

Per questi motivi, egli ebbe pietà di lei, e le perdonò. Ma il perdono che nasce dalla compassione è un parente povero del perdono che nasce dall'amore.

Il arriva à se convaincre que, non seulement sa mère n'avait jamais été la fameuse artiste qu'il imaginait quand il était enfant, mais qu'elle n'avait non plus jamais été une artiste incomprise, ni même une artiste. Le scandaleux insuccès de cette dernière soirée n'avait pas été (comme il l'avait puérilement supposé) l'effet inouï et monstrueux de l'ignorance provinciale. Certes, le public de cette petite ville était ignorant, grossier et stupide ; mais aucun public au monde ne pouvait admirer Giuditta Campese, qui possédait uniquement l'ambition, et non pas le talent. C'est à ce moment que revinrent à la mémoire d'Andrea les paroles malignes qu'il avait entendues ce soir-là, au théâtre, dans le couloir des loges. Il les avait bien entendues à ce moment-là, ces paroles, mais, comme des soldats qui préparent une embuscade, elles avaient couru se réfugier dans une cachette de son esprit, d'où elles reparurent, pour l'attaquer par surprise. Andrea les réentendit, une par une, et il apprit qu'elles concernaient sa mère. C'étaient des paroles odieuses, de cruelles ennemies dont il voulait se défendre ; mais enfin, est-ce qu'elles mentaient ? Attention, Andrea, sois sincère, quelle réponse peux-tu donner ? Est-ce que ces paroles *mentaient* ? Non, elles disaient la vérité ! Giuditta Campese n'était plus une belle femme. Peut-être n'avait-elle jamais été vraiment belle, mais maintenant elle était finie, c'était une vieille.

Pour ces raisons, il eut pitié d'elle, et lui pardonna. Mais le pardon qui naît de la pitié est un parent pauvre du pardon qui naît de l'amour.

La trasformazione di Giuditta la danzatrice in una madre, è stata inverosimile, miracolosa. Adesso, Giuditta somiglia proprio a quelle madri siciliane che si rinchiudono in casa, e non vedono mai il sole, per non fare ombra ai loro figli. Che mangiano pane asciutto, e lasciano lo zucchero per i loro figli. Che vanno in giro spettinate, ma hanno una manina leggera leggera per fare i riccioli sulla fronte dei loro figli. Che si vestono di fustagno stracciato, come le streghe; ma ai loro figli, per l'eleganza, bisogna dire *Madama* e *Milord*!

Andrea, però, non le è grato di tutto questo. Egli la guarda, con occhi pieni d'indifferenza e di malinconia.

È nervoso, taciturno, e non si cura per nulla di fare il capo di famiglia. Si direbbe quasi, anzi, che si vergogna d'avere una famiglia. Non si dà affatto la pena di sorvegliare sua sorella; s'ella è invitata a qualche festa o ricevimento, si rifiuta d'accompagnarla. E non va mai in chiesa, anzi ha tolto anche il quadro del Sacro Cuore da capo del proprio letto.

È cresciuto ancora, in questi ultimi tempi: oramai è piú alto di Giuditta. È magro, e un poco sgraziato nei gesti. Le sue guance non sono piú tenere e lisce come prima. E la sua voce, che fino a pochi mesi fa era delicata come quella d'una capinera, s'è fatta stonata e ruvida.

Arrivano le ballerinette di Giuditta per la lezione di danza: egli non le guarda neppure in faccia, e sprezzante, infastidito, se ne va.

La transformation de Giuditta la danseuse en une mère a été invraisemblable, miraculeuse. Maintenant, Giuditta ressemble exactement à ces mères siciliennes qui s'enferment chez elles, et ne voient jamais le soleil, pour ne pas porter ombrage à leurs enfants. Qui mangent du pain sec, et laissent le sucre pour leurs enfants. Qui se promènent dépeignées, mais qui ont une main très légère pour faire des boucles sur le front de leurs enfants. Qui s'habillent de cotonnade rapiécée, comme les sorcières, mais quant à leurs enfants, à cause de leur élégance, il faut les appeler *Madame* et *Milord*.

Andrea cependant ne lui est pas reconnaissant de tout cela. Il la regarde avec des yeux pleins d'indifférence et de mélancolie.

Il est nerveux, taciturne, et ne se soucie nullement de faire le chef de famille. On dirait presque qu'il a honte d'avoir une famille. Il ne se donne aucunement la peine de surveiller sa sœur ; si elle est invitée à une fête ou à une réception, il refuse de l'accompagner. Et il ne va jamais à l'église, il a même retiré la gravure du Sacré-Cœur à la tête de son lit.

Il a encore grandi, ces derniers temps ; il est désormais plus grand que Giuditta. Il est maigre, et un peu gauche dans ses gestes. Ses joues ne sont plus tendres et lisses comme avant. Et sa voix, qui, il y a quelques mois encore, était délicate comme celle d'une fauvette, est devenue fausse et rude.

Les petites danseuses de Giuditta arrivent pour la leçon de danse : il ne les regarde même pas en face, et, méprisant, agacé, il s'en va.

Passa molte ore fuori di casa. Dove va? Con chi s'incontra? Mistero. Una signora, madre d'una allieva di Giuditta, ha avvertito Giuditta, in confidenza, che lo si vede in un caffè della periferia, *con una banda di giovani scamiciati, fanatici e sovversivi.*

Giuditta non osa interrogare Andrea, tanto ne ha soggezione. È orgogliosa di suo figlio, e, in cuor suo, non gli dà mai torto, convinta che lui sia destinato a qualcosa di grande.

Andrea spesso s'immagina il futuro quale una specie di grande Teatro d'Opera, dietro le cui porte s'aggira una folla sconosciuta, misteriosa. Ma il personaggio fra tutti misterioso, ancora sconosciuto a lui stesso, è uno: Andrea Campese! Come sarà? Egli vorrebbe immaginare il futuro se stesso, e si compiace di prestare a questo Ignoto aspetti vittoriosi, abbaglianti, trionfi e disinvolture! Ma, per quanto la scacci, ritrova sempre là, come una statua, un'immagine, sempre la stessa, importuna:

un triste, protervo Eroe
avvolto in uno scialle andaluso.

Il passe de longues heures hors de la maison. Où va-t-il ? Qui rencontre-t-il ? Mystère. Une dame, la mère d'une élève de Giuditta, a averti Giuditta, en confidence, qu'on le voit souvent dans un café de banlieue *avec une bande de jeunes gens dépenaillés, fanatiques et subversifs.*

Giuditta n'ose pas interroger Andrea, tant il l'intimide. Elle est orgueilleuse de son fils, et, dans son cœur, elle ne lui donne jamais tort, car elle est convaincue qu'il est destiné à quelque chose de grand.

Andrea imagine souvent l'avenir comme une sorte de grand Théâtre d'Opéra, derrière les portes duquel se presse une foule inconnue, mystérieuse. Mais le personnage mystérieux entre tous, qu'il ne connaît pas encore lui-même, il n'y en a qu'un : Andrea Campese ! Comment sera-t-il ? Il voudrait imaginer son personnage futur, et se plaît à prêter à cet Inconnu des aspects victorieux, éblouissants, des triomphes et une éternelle désinvolture. Mais, bien qu'il la chasse, il retrouve, toujours présente, comme une statue, une image, toujours la même, importune :

> « *un triste, un arrogant Héros
> serré dans un châle andalou* ».

DU MÊME AUTEUR
DANS LA COLLECTION FOLIO

Aracoeli (Folio n° 1736)
Le châle andalou (Folio n° 1579)
Mensonge et sortilège, tomes I et II (Folio 1884 et 1894)
La storia, tomes I et II (Folio n° 1214 et 1215)
L'île d'Arturo (Folio n° 1076)

Composition Interligne.
Impression Bussière
à Saint-Amand (Cher),
le 20 avril 2005.
Dépôt légal : avril 2005.
1ᵉʳ dépôt légal dans la collection : mai 1998.
Numéro d'imprimeur : 051653/1.
ISBN 2-07-040522-2./Imprimé en France.

137378